Editorial
NUN

San John Henry Newman, un maestro para nuestro tiempo

Editorial
NUN

Ficha bibliográfica

Juan Alonso (ed.)
Keith Beaumont
Juan R. Vélez Giraldo
John T. Ford
Paul Shrimpton
Miguel Rumayor

San John Henry Newman, un maestro para nuestro tiempo

1a. edición, 2022

Versión impresa ISBN: 978-607-99522-7-3
Versión digital ISBN: 978-607-99522-8-0

Editorial Notas Universitarias, S.A. de C.V.
Colección Fides et Ratio

Impreso en la Ciudad de México, febrero de 2022
Formato: 15 × 21 cm

234 pp.

Editorial NUN

Es una marca de Editorial Notas Universitarias, S.A. de C.V.
Xocotla 17, Tlalpan Centro II, alcaldía Tlalpan,
C.P. 14000, Ciudad de México

www.editorialnun.com.mx

Los textos aquí presentados fueron arbitrados (doble-ciego) y dictaminados por especialistas nacionales. Posteriormente fueron revisados, corregidos y modificados por los autores antes de llegar a su versión final.

Dirección editorial y diseño de portada: Miryam D. Meza Robles
Cuidado de la edición: Felipe G. Sierra Beamonte
Impreso en México

San John Henry Newman, un maestro para nuestro tiempo

Juan Alonso (ed.)
Keith Beaumont
Juan R. Vélez Giraldo
John T. Ford (†)
Paul Shrimpton
Miguel Rumayor

Fides et Ratio

A la memoria de John Henry Newman

Índice

Prólogo 13

I. Conciencia y conversión en John Henry Newman 21
Juan Alonso
Referencias 53

II. ¿Fue Newman un "teólogo"? 57
Keith Beaumont
Referencias 91

III. La influencia de Newman en la constitución 93
Dei Verbum del Vaticano II
Juan R. Vélez Giraldo
Referencias 128

IV. La eclesiología en John Henry Newman 131
John T. Ford (†)
Referencias 168

V. Más poeta que policía: Newman y la educación 171
"en el amplio sentido de la palabra"
Paul Shrimpton
Referencias 203

VI. Notas sobre la formación de la conciencia 205
en John Henry Newman
Miguel Rumayor
Referencias 229

Prólogo

La canonización de John Henry Newman (1801-1890) el 13 de octubre de 2019 ha sido un acontecimiento importante para la Iglesia. La declaración solemne sobre su santidad lleva consigo el reconocimiento de sus virtudes heroicas, así como la propuesta de su ejemplo de vida para los cristianos y de su capacidad intercesora ante Dios. Además constituye una confirmación de la validez de sus enseñanzas, ya que, como señaló Joseph Ratzinger en 1990, el rasgo que caracteriza a un gran doctor de la Iglesia es que en él, "pensamiento y vida se compenetran y se determinan recíprocamente".[1]

Con un itinerario biográfico apasionante y una conversión al catolicismo que conmocionó a la Inglaterra victoriana, Newman ha dejado un considerable legado intelectual cuya actualidad sigue vigente en nuestra época. El interés cultural y teológico por Newman ha ido creciendo progresivamente a partir de la celebración, en 1990, del centenario de su muerte, en 1995 del 150 aniversario de su entrada en la Iglesia católica y, más todavía, desde su beatificación y su canonización.

---

[1] J. Ratzinger, *Presentation on the occasion of the First Centenary of the Death of Card. John Henry Newman,* Roma, 28 de abril de 1990.

Numerosas razones avalan la relevancia de su figura. Desde el punto de vista eclesial destaca la gran estima hacia su persona mostrada por los diversos Papas desde la época en que vivió: empezando por León XIII -que lo nombró cardenal- hasta Benedicto XVI, que lo beatificó en Birmingham en 2010, y Francisco, que recientemente lo canonizó. No de menor importancia es la impronta de su pensamiento en el Concilio Vaticano II, que ha sido denominado el "Concilio de Newman",[2] en cuyo centro -en opinión de san Pablo VI- estuvo presente de diversas formas.[3] Y es que este precursor, inspirador o "cardenal ausente"[4] del Concilio Vaticano II, ofreció *avant la lettre* agudos análisis en temas que poseen plena actualidad sobre la naturaleza de la religión, las relaciones entre la fe y la razón, la tradición de la Iglesia, el ecumenismo, la conciencia humana, la misión de los laicos o la educación. En este sentido, cabría citar a un abundante número de autores del siglo XX que han reconocido la influencia que Newman ejerció sobre ellos, como Pierre Rousselot, Erich Przywara, Otto Karrer, Romano Guardini, Karl Adam, así como otros que intervinieron más directamente en el Concilio Vaticano II y en la teología posterior, como Henri De Lubac, Jean Daniélou, Louis Bouyer, Maurice Nédoncelle, Yves Marie-Joseph Congar y Joseph Ratzinger.[5] Igualmente, la presencia de Newman en el *Catecismo de la Iglesia católica*, en el que se le cita en cuatro ocasiones, resulta significativa en relación con su influencia religiosa, más aún por tratarse de un autor no canonizado en el tiempo de la elaboración del *Catecismo*.[6]

---

2   Cf. V. Ferrer Blehl, "En el tiempo de Dios", en *Salmanticensis*, núm. 40, 1993, p. 81.
3   Cf. J. Guitton, *Diálogos con Pablo VI*, Madrid, Cristiandad, 1967, p. 211.
4   I. Ker, *Newman on Vatican II*, Oxford, Oxford University Press, 2014.
5   Cf. R. M. Mauti, "La recepción de Newman en la teología del siglo XX", en *Teología* 87(2005) 417-462.
6   n. 157, 1778, 2144 y 1723. También encontramos referencias a Newman en las encíclicas de Juan Pablo II *Veritatis splendor* (n. 34) y *Fides et ratio* (n. 74). Igualmente está presente en varios documentos de la Comisión Teológica Internacional: "La interpretación de los dogmas" (1989), "La teología hoy: perspectivas, principios y criterios" (2011), "El 'Sensus fidei' en la vida de la Iglesia" (2014).

Acercarse a la vida y los escritos del santo inglés es conocer una figura sugerente e inspiradora. Estamos ante un personaje singular que cautiva a quien se aproxima a su figura, al menos por tres motivos: su peculiar estilo intelectual, la íntima relación entre su pensamiento y vida, y la amplitud de sus aportaciones intelectuales.

En efecto, el estilo de sus reflexiones y escritos trasluce su gran personalidad. Hombre profundamente espiritual, manifiesta también una inteligencia atenta a los avatares de la historia y a las grandes cuestiones del ser humano y de la sociedad. Su gran humanidad y su notable capacidad de introspección psicológica del corazón humano favorecen en él una especial sensibilidad hacia lo religioso.

Su compromiso con la verdad –condición y distintivo del genuino intelectual– está en la base de su vida y de su pensamiento. En sus sucesivas conversiones y en sus desarrollos doctrinales, los posibles intereses o inclinaciones personales dejan paso al primado de la verdad y sus exigencias. Ese servicio incondicional a la verdad se armoniza con un sincero respeto a la libertad y a la conciencia de los demás, haciendo realidad lo que recogería más tarde el Concilio Vaticano II: "La verdad no se impone de otra manera que por la fuerza de la misma verdad" (*Dignitatis Huamanae*, 1). Por eso, al preguntarse por el asombroso éxito de la primera evangelización cristiana, a pesar de los indudables obstáculos, Newman afirma: "La verdad se ha aceptado en el mundo no por su carácter de sistema, ni por los libros, ni por la argumentación, ni por el poder temporal que la apoyaba, sino por la influencia personal de quienes testificaron, [...] siendo a la vez sus maestros y modelos".[7] La intensa actividad que desarrolló, tanto en su época anglicana como en la católica, corrobora la gran influencia

---

[7]   "El testimonio personal, medio de propagar la verdad", en *La fe y la razón: quince sermones predicados ante la Universidad de Oxford (1826-1843)*, introducción, traducción y notas de Aureli Boix, Madrid, Encuentro, 1993, p. 135 ("Personal Influence, The Means of Propagating the Truth", en *Oxford University Sermons*, 1843, pp. 79-80).

que ejerció sobre personas de toda condición, como pastor, maestro, consejero o amigo.[8]

En lo que se refiere a la unidad entre pensamiento y vida en nuestro autor, una fuente esencial para conocerle es *Apologia pro vita sua*[9] (1864). En esta *historia de sus ideas religiosas* (al estilo de las *Confesiones* agustinianas) se encuentran numerosos ejemplos de la sinergia entre pensamiento y vida. Doy dos ejemplos. El primero es el sentido de misión para su vida que Newman descubre en su viaje de 1833 por el Mediterráneo, cuando siente con claridad una llamada a trabajar en la reforma y purificación de la Iglesia de Inglaterra, tarea que desarrollará durante sus años anglicanos en el seno del Movimiento de Oxford, desde 1833. Esta empresa intelectual para elaborar una eclesiología específicamente anglicana, como *Via Media*[10] entre el protestantismo de los reformadores del siglo XVI y el catolicismo romano, irá acompañada por una disposición interior, firme y permanente, de conversión personal. Otro ejemplo es el hecho de que la mayoría de sus escritos son "ocasionales", es decir, responden a una necesidad inmediata de clarificación intelectual o de justificación histórica, o a una reacción apologética ante circunstancias particulares que aparecen en relación con su vida personal.[11]

---

[8] Cf. J. Morales, "El significado de Newman en la Iglesia", en *J. H. Newman, hoy*, documentos del Instituto de Antropología y Ética, 14, Universidad de Navarra, Pamplona, 2011, p. 20.

[9] *Apología pro Vita Sua. Historia de mis ideas religiosas*, 2a. ed., Madrid, Encuentro, 2010.

[10] Este esfuerzo queda materializado en dos volúmenes: *Lectures on the Prophetical Office of the Church (Via Media I, Vol. 1)*, 1837, y *Via Media I*, Vol. 2, 1838. En castellano esta obra fue publicada en tres volúmenes por la Bibliotheca Oecumenica Salmanticensis, UPSA, *Via Media de la Iglesia anglicana. Conferencias sobre la función profética de la Iglesia considerada en relación con el sistema romano y con el protestantismo popular* (edición preparada por Aureli Boix, 1995); *Trato 90* (edición preparada por José Gabriel Rodríguez Pazos, 2017) y *Via Media*, Volumen II (preparada también por José Gabriel Rodríguez Pazos, 2019).

[11] Por ejemplo: *a)* la búsqueda sobre las bases teológicas del anglicanismo (*Conferencias sobre el Oficio profético de la Iglesia, Conferencias sobre la justificación*); *b)* la indagación sobre las supuestas corrupciones romanas (*Ensayo sobre el desarrollo*

La riqueza y amplitud de sus aportaciones se vislumbra en su vasta obra publicada, contenida en más de 80 volúmenes. Entre ella se encuentran más de 600 sermones, ensayos teológicos, históricos y bíblicos, artículos varios, novelas, meditaciones y oraciones, poesías y un cuerpo epistolar de más de 20 000 cartas recogidas en 32 volúmenes. A todo ello hay que sumar un gran número de documentos personales y de escritos inéditos que se conservan en los archivos del Oratorio de Birmingham, que están siendo digitalizados.

Los escritos de Newman abarcan temas de la teología y del pensamiento cristiano: relación entre fe y razón, revelación cristiana y religión, verdad y conciencia; la teología de la historia, la tradición y el progreso dogmático; la naturaleza de la Iglesia y el ecumenismo, y otras muchas cuestiones, como el papel de los laicos o la naturaleza de la educación. Nos encontramos, por tanto, ante uno de los pensadores católicos más significativos, prolíficos y versátiles de la época moderna, al que se le pueden aplicar los títulos de teólogo, educador, pastor, maestro de la lengua inglesa y, por supuesto, santo.

* * *

La figura de Newman es bastante conocida por el impacto religioso y social que en su día provocó su incorporación a la Iglesia católica desde la confesión anglicana. Sin embargo, no se puede decir lo mismo en lo que se refiere a su fecundo pensamiento intelectual y espiritual, que ha permanecido bastante ignorado para el mundo cultural en general y particularmente para el ámbito hispanohablante. Por este motivo es que conviene felicitarse ante la iniciativa de editorial NUN

---

de la doctrina cristiana); c) la réplica al político británico William Gladstone por su virulento ataque a los católicos con ocasión de la definición de la doctrina sobre la infalibilidad papal ("Carta al Duque de Norfolk"); d) o la respuesta a las acusaciones publicadas contra él y contra el clero católico por el escritor polemista anglicano Charles Kingsley (*Apologia pro Vita Sua*, 1864).

de publicar en su colección *Fides et Ratio* un conjunto de artículos sobre algunos temas relevantes del pensamiento newmaniano.

Este volumen recoge seis estudios sobre el santo inglés que fueron publicados en diciembre de 2019 en la revista *Scripta Theologica* de la Facultad de Teología de la Universidad de Navarra.

Quien escribe, profesor en la Facultad de Teología de la Universidad de Navarra, analiza en primer lugar las experiencias fundamentales de conversión de Newman en su camino hacia la fe católica para mostrar cómo su compromiso con la verdad y su fidelidad a la conciencia le guiaron hacia Roma y orientaron su misión. En un segundo momento, traza varios rasgos esenciales de la dinámica de la conversión cristiana que se deducen del itinerario existencial de Newman.

Keith Beaumont, sacerdote del Oratorio de Francia y autor de referencia en el ámbito newmaniano de habla francesa, muestra algunos de los rasgos fundamentales que caracterizan al Newman teólogo, particularmente la mutua conexión que se aprecia en su quehacer teológico entre reflexión dogmática, experiencia espiritual y vida moral.

Un análisis de la influencia que Newman ejerció en la constitución *Dei Verbum* es ofrecido por el sacerdote Juan Rodrigo Vélez, biógrafo y *Newman scholar* afincado en Estados Unidos. El autor explora también la influencia más inmediata que pudo tener sobre diversos teólogos concretos que trabajaron en la elaboración del texto conciliar.

John T. Ford, C. S. C., fallecido recientemente, profesor emérito de la Catholic University of America (Washington, D. C.) y uno de los principales especialistas sobre Newman, no sólo en Estados Unidos sino en el mundo, analiza el pensamiento de Newman desde la perspectiva eclesiológica, mostrando la fascinación que despiertan sus aportaciones sobre la Iglesia, así como el estímulo que siguen suscitando hoy para la reflexión teológica.

Un estudio de las enseñanzas de Newman sobre la educación universitaria es presentado por Paul Shrimpton, profesor del Magdalen College School de Oxford. El autor destaca que Newman no sólo recuerda a la universidad moderna su naturaleza y sentido, sino que también le ofrece elementos prácticos que contribuyen a su bienestar y a la consecución de sus objetivos más profundos, logrando así una visión más amplia y sapiencial de la educación.

El último de los estudios es una contribución de Miguel Rumayor sobre la riqueza de las enseñanzas de Newman en torno al tema de la formación de la conciencia. El profesor de la Universidad Panamericana expone cómo algunas de las ideas centrales del cardenal inglés, como el sentido moral, el sentido del deber y el sentido *ilativo*, entre otras, brindan excelentes materiales para la reflexión y la aplicación práctica en el ámbito de la formación cristiana.

Deseamos que los estudios reunidos en este título contribuyan a ilustrar el alcance y la actualidad de la figura y el pensamiento de san John Henry Newman.

Juan Alonso
Universidad de Navarra

I
Conciencia y conversión en John Henry Newman

Juan Alonso

Introducción

La conversión de John Henry Newman a la Iglesia católica ha sido considerada como uno de los eventos más significativos de la historia moderna de la Iglesia.[1] El paso al "romanismo" del que había sido el dirigente y el exponente máximo del movimiento de Oxford no pasó desapercibido para la Inglaterra victoriana del siglo XIX y, más concretamente, para el mundo universitario oxoniense. Para muchos, Newman ocupa el primer puesto entre los conversos al catolicismo provenientes de las Iglesias nacidas a partir de la Reforma, e incluso como uno de los más influyentes de la historia de la Iglesia, junto a san Agustín.[2]

Su recepción en la Iglesia católica el 9 de octubre de 1845 supuso un cambio radical de dirección en aspectos fundamentales de su vida. Sin embargo, considerando su itinerario existencial completo,

---

[1]   Cfr. I. Ker, Introduction, en I. Ker (ed.), *Newman and Conversion*, Edinburgo, T&T Clarck Ltd., 1997, p. 1.

[2]   J. Morales, "El significado de Newman en la Iglesia", en *J. H. Newman, hoy*, Documentos del Instituto de Antropología y Ética, núm. 14, Universidad de Navarra, 2011, p. 23.

ese acontecimiento no fue más que el punto final de una serie de "conversiones" que Newman había experimentado hasta entonces: un largo y sufriente proceso de búsqueda de la verdad y de fidelidad a la voz de su conciencia.

En este capítulo abordamos dos temas relacionados entre sí y presentes en el pensamiento de Newman: la conversión cristiana y la conciencia. Más que nociones abstractas objeto de análisis éstas son en Newman realidades fundamentales que reflejan el talante particular de quien ha sido calificado por algunos como "doctor de la Iglesia", porque "no enseña sólo con su pensamiento y sus discursos, sino también con su vida".[3] Por este motivo adoptamos un método de análisis más narrativo que estrictamente conceptual, examinando de qué manera la búsqueda de la verdad y la fidelidad a su conciencia determinaron el camino de su conversión,[4] para acercarnos así a la naturaleza y los rasgos fundamentales de la conversión según su pensamiento.

1. Pasión por la verdad

En la vida de Newman cabe distinguir cuatro experiencias fundamentales de conversión. Su examen permite ahondar en el alcance del calificativo "converso" aplicado a su persona, así como en el significado y trascendencia que él mismo atribuye a la conversión.

---

[3] "Si esto es cierto, entonces realmente Newman pertenece a los grandes doctores de la Iglesia porque, al mismo tiempo, él toca nuestro corazón e ilumina nuestro pensamiento". J. Ratzinger, *Discurso con motivo del centenario de la muerte del Card. John Henry Newman*, 28 de abril de 1990. *Vid* Ph. Lefebvre y C. Mason (eds.), *John Henry Newman Doctor of the Church*, Oxford, Family Publications, 2007.

[4] Cfr. Benedicto XVI, *Discurso a la curia romana, al rememorar la beatificación de Newman*, 20 de diciembre de 2010.

"Se produjo en mí un gran cambio interior", otoño de 1816

Como punto de partida de su historia espiritual, Newman recuerda en su *Apologia* la espontánea religiosidad de sus años de infancia, cuando aún no habían comenzado a forjarse sus convicciones religiosas.[5] Muchacho de inteligencia aguda, extraordinariamente perceptivo y reservado, pero al mismo tiempo afectivo, poseía una imaginación viva que le llevaba a recrearse en un mundo invisible habitado por espíritus con poderes mágicos. Reconoce que estos pensamientos y sentimientos de niño tuvieron gran influencia en sus convicciones religiosas posteriores.

Criado en una familia donde reinaba un ambiente religioso propio del anglicanismo de su tiempo, había adquirido gusto por la lectura de la Biblia, y poseía "un perfecto conocimiento del catecismo". Era un lector voraz. A los 14 años la lectura de algunos autores racionalistas hostiles al cristianismo –cita a Voltaire y a Thomas Paine– pudo despertar en él un cierto escepticismo. Su estado espiritual era tal que buscaba "ser virtuoso, pero no religioso", y además "tampoco veía lo que significaba 'amar a Dios'".[6]

En su último año de estancia en la Escuela de Ealing (Londres), el joven Newman conoce al reverendo Walter Mayers, clérigo anglicano de 25 años de edad, de tendencia calvinista evangélica, cuya enseñanza y ejemplo calan a fondo en el futuro cardenal. De él comenta en su *Apologia* que fue un "hombre excelente", "el instrumento humano de este comienzo de fe divina en mí".[7] Mayers pone en sus manos algunos libros de orientación calvinista que le ayudan a fomentar su piedad, a disipar dudas y clarificar su visión religiosa. La autobiografía espiritual del autor evangélico Thomas Scott (1747-1821), titulada *La*

---

[5]   *Apologia pro Vita Sua. Historia de mis ideas religiosas*, 2a. ed., Madrid, Encuentro, 2010, pp. 47-48. En adelante *Apologia*, seguido del número de páginas.

[6]   *Autobiographical Writings*, Henry Tristam (ed.), Londres y Nueva York, Sheed & Ward, 1956, p. 169; en adelante *AW. Suyo con afecto. Autobiografía epistolar* (edición, traducción y notas de Víctor García Ruiz), Madrid, Encuentro, 2002, p. 48.

[7]   *Apologia*, 50.

fuerza de la verdad,[8] imprime en Newman un penetrante sentido del dogma. La lectura de *La historia de la Iglesia*[9] de Joseph Milner (1744-1797) le descubre textos de los santos padres, como san Agustín y san Ambrosio, encendiendo en su joven corazón una pasión por los padres que le durará toda la vida. Pero también en este tiempo se ve influenciado por algunas doctrinas que más adelante tendrá que rechazar, como la idea de que la conversión era señal infalible de predestinación (William Romaine, calvinista) o el libro de Thomas Newton sobre las profecías[10] que trataba de demostrar desde la Escritura que el Papa era el anticristo.

En este contexto intelectual y religioso marcado –aunque no en todos sus extremos– por el Evangelismo,[11] tiene lugar en 1816 la que denominó "mi primera conversión". No es una experiencia repentina y emocional de conversión al estilo evangélico convencional.[12] Es más bien un cambio que transcurre desde los primeros días de agosto hasta pocos días antes de Navidad. Durante ese verano permanece en la Escuela de Ealing (debido a la quiebra del banco de su padre) y allí sufre su primera experiencia de enfermedad que, según sus palabras escritas tiempo después, "hizo de mi un cristiano –con experiencias anteriores y posteriores terribles, que sólo Dios conoce"[13]–. Resume su experiencia con estas breves palabras: "Cuando tenía 15 años (en el otoño de 1816) se produjo en mí un gran cambio interior. Caí bajo la influencia de un credo definido y recibí en mi intelecto la marca de lo que es un dogma, que gracias a Dios nunca se ha borrado ni oscure-

---

[8] *The Pillar of Truth*, 1779.
[9] *History of the Church of Christ*, 5 vols., Londres, 1794-1809 (los dos últimos volúmenes fueron preparados por Isaac, hermano del autor).
[10] *Dissertations on The Prophecies*, 1758.
[11] Cfr. K. Beaumont, *Dieu intérieur. La théologie spirituelle de John Henry Newman*, París, Ad Solem, 2014, pp. 92-97.
[12] En un recuerdo escrito muchos años después (1876) reconoce que "no se convirtió a la manera que [la enseñanza evangélica] prescribe como imperativa, sino tan completamente fuera de las reglas establecidas que era muy dudoso a los ojos de los evangélicos ordinarios que él se hubiera convertido realmente", *AW*, p. 79.
[13] *AW*, p. 268.

cido".[14] En 1885 escribirá: "Es difícil percibir o imaginar la identidad del joven adolescente antes y después de agosto de 1816".[15]

Siempre consideró este acontecimiento como la inauguración para él de un cristianismo consciente, y afirmó gráficamente que estaba más seguro de esa conversión interior que del hecho de tener manos y pies.[16] ¿De qué tipo de experiencia se trató? ¿Cuáles son sus rasgos fundamentales? Podemos distinguir cuatro.

a) Un mundo invisible. La "primera conversión" de Newman no parece tratarse de una experiencia mística ni tampoco de un tipo de conocimiento intuitivo de Dios, sino de una gracia ordinaria del cielo de notable intensidad que otorgó al joven evangélico un convencimiento firme sobre la existencia de un mundo invisible, totalmente real, en el que se inscriben los misterios cristianos, así como una aguda sensibilidad para percibirlo en todas sus consecuencias.[17]

El tema del "mundo invisible" impregna toda la obra de Newman, y está presente en diversos de sus escritos. Un sermón anglicano predicado en 1837 ("El mundo invisible") lo describe así: tras este mundo visible hay "otro mundo que nos rodea, aunque no lo veamos y más maravilloso que el mundo que podemos ver, precisamente porque no lo vemos. En torno nuestro existen objetos innumerables que van y vienen, que vigilan, actúan o esperan, y que no vemos. Es otro mundo que los ojos no alcanzan sino solamente la fe".[18] "El mundo espiritual, a pesar de no ser visto, se halla presente; es un mundo *presente*, no futuro ni distante. No está sobre el cielo ni más allá del sepulcro. Se encuentra aquí y ahora".[19]

---

[14] *Apologia*, 50.

[15] Carta a Anne Mozley, en *Letters and Diaries*, XXXI, 31. En adelante *LD* (cito según la versión de J. Morales, *Newman [1801-1890]*, Madrid, Rialp, 2010, p. 20).

[16] Cfr. *Apologia*, 51.

[17] Cfr. J. Morales, "Experiencia religiosa. La contribución de J. H. Newman", *Scripta Theologica* 27(1995): 84.

[18] *Sermones parroquiales* 4, Madrid, Encuentro, 2010, p. 226. En adelante *SP* seguido del volumen y de la página (*Parochial and Plain Sermons*, 8 vols.).

[19] Cfr. *SP*, 4, 231.

La existencia de este mundo invisible está en la base de la teología de la fe que Newman desarrolla. En un sermón predicado en 1830 ("Fe y obediencia"), Newman se pregunta por la naturaleza del creer: "¿Qué significa 'fe'? Es sentir, con profunda convicción, que somos criaturas de Dios; es una percepción práctica del mundo invisible (*unseen world*); es entender que este mundo no es capaz de hacernos felices, es mirar más allá de él y ver a Dios, darse cuenta de su presencia, esperar en Él, esforzarnos por aprender y hacer su voluntad y buscar en Él nuestro bien".[20] La existencia de un mundo invisible que escapa a nuestros sentidos constituye un preámbulo necesario para la fe.

El descubrimiento del mundo invisible en su "conversión juvenil" conecta con la distinción que Newman hará más tarde entre el conocimiento *nocional* y el conocimiento *real*. El primero –dirá en el *Ensayo sobre la gramática del asentimiento*– es resultado del razonamiento y la abstracción; el segundo es fruto de una comunicación con el mundo real, que incluye también lo invisible. Es en el ámbito del asentimiento real en el que se inscribe el conocimiento de lo concreto y lo práctico y, por tanto, también el de la fe y el conocimiento religioso.[21]

En resumen, el mundo invisible está actuando sobre nosotros, aunque no seamos conscientes de ello. No sólo es auténticamente real, sino que sostiene y posibilita toda realidad creada. Convertirse y creer significa justamente optar por esa realidad invisible.[22]

b) La presencia de Otro. En línea con lo anterior, su "primera conversión" es para Newman una toma de conciencia de la presencia de Dios y un encuentro efectivo con Dios. Pudo descansar –comentó

---

[20] *SP*, 3, 96.

[21] *An Essay in Aid of a Grammar of Assent*, 1970. En castellano *Ensayo para contribuir a una gramática del asentimiento*, Madrid, Encuentro, 2010; en adelante: *GA*.

[22] En sintonía con el pensamiento de Newman son penetrantes las siguientes palabras de Joseph Ratzinger: "La fe es una decisión por la que afirmamos que en lo íntimo de la existencia humana hay un punto que no puede ser sustentado ni sostenido por lo visible y compresible, sino que choca con lo que no se ve del tal modo que esto lo afecta y aparece como algo necesario para su existencia". *Introducción al cristianismo*, Salamanca, Sígueme, 1967, p. 32.

después– en el pensamiento de dos y sólo dos seres, absoluta y luminosamente autoevidentes: "Yo y mi Creador".[23] Sigue en este punto la pauta de toda conversión cristiana, según queda manifiesto en grandes conversos, como san Pablo ("No vivo yo, pues es Cristo el que vive en mí", Gal 2, 20), o san Agustín ("Estabas más dentro de mí que lo más íntimo de mí", *interior intimo meo*, *Confesiones*, V, 2, 2) o, por citar alguna figura más cercana, la conversión espiritual de santa Teresa de Jesús a sus 39 años, en 1554, a raíz de su encuentro con la imagen del *Ecce homo* y de la lectura de las *Confesiones* de san Agustín (*Vida*, c. 9).

La "luminosa autoevidencia" de la realidad absoluta de Dios y su relación con el creyente es descrita en una de las primeras anotaciones de su diario personal como el núcleo característico de la conversión: "La realidad de la conversión: ella corta toda duda en su raíz, creando una cadena entre Dios y el alma (con cada eslabón completo). Sé que estoy en lo correcto. ¿Cómo lo sabes? Yo sé que sé que sé, etc.".[24] Y es que para Newman –como expresa en uno de sus sermones– el cristiano es "un hombre que tiene un sentido soberano de la presencia de Dios en él".[25]

En un lugar de su primera novela, *Perder y ganar*, Newman recrea ese talante espiritual en la persona del joven estudiante de Oxford, Charles Reding: "El rasgo característico de Charles, el que le definía por encima de cualquier otro, era un sentimiento habitual de la presencia de Dios; conciencia que, por supuesto, no era garantía de pensar y obrar siempre en conformidad absoluta con Dios... pero ahí estaba, actuando, guiándole, como la nube con el pueblo elegido".[26] También en la novela *Calixta* la protagonista reconoce esa "voz", que le va lle-

---

[23] *Apologia*, 51.

[24] *AW*, 150.

[25] *SP*, 5, 16 (sermón "Sinceridad e hipocresía").

[26] *Perder y ganar. Historia de una conversión*, 4a. ed., Madrid, Encuentro, 2014, p. 228. En adelante: *PG*, seguido del número de página (*Loss and Gain: The Story of a Convert*). La imagen de la columna de nube proviene del Éxodo (13, 21-22). El famoso poema "Lead, Kindly Light", que Newman compuso en 1833 durante su viaje por el Mediterráneo, se titula en realidad "The Pillar of the Cloud". El poema

vando hasta Dios: "Es el eco de alguien que me habla a mí. Estoy absolutamente convencida de que en último término procede de una persona externa a mí. Y trae consigo la prueba de su origen divino".[27]

Tras su "primera conversión", Dios ocupa el centro de la vida de Newman, y esta experiencia da origen a un tema recurrente en sus sermones y a su espiritualidad: la importancia de la *soledad* interior, que no es encerramiento en sí mismo o individualismo egocéntrico, sino toma de conciencia de la propia individualidad personal en relación con Dios, con los demás y con el mundo.[28] Cabría afirmar que gran parte de la insistencia del pensamiento newmaniano es que el carácter personal e individual de la relación del hombre con Dios es resultado de la influencia que Newman recibió del evangelismo sencillo pero vigoroso de su primera juventud.

c) Una llamada, una misión. Una consecuencia de su experiencia espiritual de 1816 es el nacimiento en él de un "pensamiento poderoso" que se le impone: "Consideré voluntad de Dios que yo llevara una vida célibe".[29] Ese barrunto se mantiene vivo casi sin interrupción hasta 1829, y se consolida a partir de ese año. Tiene clara convicción de que su vocación divina exige "un sacrificio como el del celibato", como lo requería también el trabajo misionero entre los paganos, que le atrajo vivamente durante varios años.[30]

En *Perder y ganar* se recoge una conversación de Charles con su tutor y confidente, Carlton, quien defiende que el celibato no cabe en el sistema religioso anglicano. Charles responde: "No es una pose ni cosa de ahora. Te vas a reír, pero ya lo pensé cuando estaba en la escuela; y desde entonces siempre me he visto así, que no me casaré.

---

expresa su enérgica decisión de cumplir la misión de hacer algo por la Iglesia que veía que Dios le encomendaba. Eran los preámbulos del Movimiento de Oxford.

[27] *Calixta. Retazos del siglo tercero*, Madrid, Encuentro, 2010, p. 266 (*Callista. A Sketch of the Third Century*).

[28] *Vid.* p. ej., *SP*, 1, 2 (sermón "La inmortalidad del alma"); *SP*, 4, 6 (sermón "La individualidad del alma").

[29] *Apologia*, 55.

[30] *Ibid.*

Y no es un sentimiento que yo me empeñe en mantener, no; se parece más a una especie de hábito mental. Mi actitud mental general va por ahí, cuenta con eso, que no me voy a casar".[31] En tiempos de Newman el celibato era una elección casi inconcebible entre el clero anglicano. Más tarde, con el nacimiento del Movimiento de Oxford liderado por Newman pasó a ser un ideal religioso, manifestación de la generosidad, devoción y pureza de los santos, aunque se hablara poco de ello de modo directo.[32]

d) Descubrimiento del dogma. Una última consecuencia, de notable relevancia, de su primera conversión es la importancia del dogma cristiano, que nuestro autor menciona explícitamente en el texto citado: "Caí bajo la influencia de un credo definido y recibí en mi intelecto la marca de lo que es un dogma, que gracias a Dios nunca se ha borrado ni oscurecido".[33] Se trata de la dimensión intelectual o doctrinal de esa primera experiencia de conversión.

En *Apologia* se refiere al "principio del dogma" como uno de los "tres grandes principios" del Movimiento de Oxford,[34] y declara al respecto:

> Tengo la satisfacción de decir que hoy día nada he de retractar y que no tengo que arrepentirme de nada. El principio central del Movimiento me es ahora tan querido como siempre lo fue. En muchas cosas he cambiado, pero no en esta. Desde los 15 años el dogma ha sido el principio fundamental de mi religión. No conozco otra religión ni puedo hacerme a la idea de otro tipo de religión. La religión como mero sentimiento me parece algo ilusorio y una burla. Tanto puede haber amor filial sin la existencia de un padre como devoción sin la existencia

---

[31] *PG*, 200.

[32] Cfr. R. W. Church, *The Oxford Movement; Twelve Years, 1833-1845*, 1970, p. 117 [en línea], disponible en <http://www.gutenberg.org/ebooks/12092>. Consultado el 16 de agosto de 2019.

[33] *Apologia*, 50.

[34] Los otros dos principios eran respectivamente el "principio sacramental" –referido a la existencia de la Iglesia visible y a los sacramentos como canales de la gracia; y la postura negativa respecto a la Iglesia de Roma por su supuesta vinculación a la "causa del anticristo". Cfr. *Apologia*, 99 y ss.

de un Ser Supremo. Lo que mantenía en 1816 lo mantuve en 1833 y lo mantengo en 1864. Quiera Dios que lo mantenga hasta el final.[35]

Esta primea conversión coincide con el final de los años escolares de Newman. A sus 16 años estaba preparado para iniciar sus estudios en el Trinity de Oxford, a donde llegó en junio de 1817.

"Me deslizaba en dirección al liberalismo del día"
"Dos grandes golpes me despertaron violentamente de mi sueño", finales de 1827

La segunda conversión de Newman se sitúa a finales de 1827 e inicios de 1828. Desde su llegada a Oxford había desarrollado una brillante carrera y su prestigio era grande. Había sido nombrado primero Fellow de Oriel College (12 de abril de 1822) y después tutor oficial (enero de 1826). Había sido ordenado diácono anglicano (13 de junio de 1824) y sacerdote (29 de mayo de 1825), y había entrado en contacto con un entorno intelectual y académico prestigioso.

No habían sido años fáciles. Tres sucesos amargos le habían ayudado a madurar humanamente: 1. Un fracaso académico en el verano de 1820 (del que aprendió –como indica en una carta de la época al reverendo Mayers– que "el honor y la fama no son cosas deseables" y que "Dios me lleva en esta vida por el mejor camino para su gloria y mi salvación";[36] 2. Una nueva bancarrota del negocio de su padre (en noviembre de 1821), y 3. La muerte de éste en septiembre de 1824 tras una súbita enfermedad.

Pero son otros dos acontecimientos dolorosos los que remueven interiormente la vida de Newman: "Dos grandes golpes me despertaron violentamente de mi sueño a finales de 1827: la enfermedad y

---

[35] *Apologia*, 98.
[36] Carta al reverendo Mayers (enero de 1821), en *LD* I; en *Suyo con afecto*, p. 41.

la muerte de un ser muy querido".[37] El primero es un colapso físico y nervioso que sufre en su actuación como examinador en noviembre de 1827.[38] Su mente quedó en blanco y hubo de abandonar su puesto en el tribunal de exámenes. El otro hecho es el fallecimiento inesperado de su hermana más joven, Mary, el 5 de enero de 1828, a los 18 años de edad. De sus tres hermanas era con la que John Henry había tenido siempre una especial cercanía.[39]

Esta doble conmoción, por decirlo con sus propias palabras, le despertó violentamente de un sueño. Con el tiempo pudo ver que esta crisis le preparaba para el comienzo de una nueva etapa en su vida. En la *Apologia* sintetiza así su situación interior en ese tiempo: "La verdad es que yo comenzaba a preferir la excelencia intelectual a la moral. Me deslizaba en dirección al liberalismo del día".[40]

El liberalismo al que se refiere aplicaba escasa atención a la ortodoxia doctrinal y trataba con cierto desdén a los evangélicos. Le interesaba el papel de la Iglesia en el orden moral de la sociedad, pero su celosa defensa de la tolerancia en materias religiosas iba acompañada de la idea de que "da lo mismo una opinión que otra" y, por tanto, de un escepticismo respecto a la verdad objetiva en materia religiosa. A este liberalismo hoy le llamaríamos "relativismo" teológico, filosófico o religioso.

---

[37] *Apologia*, 62.
[38] En el desenlace de esta crisis parecen haber convergido algunas noticias inquietantes para Newman en aquellas fechas: la quiebra de la escuela regentada por su tía Elisabeth y el temor a la consiguiente deuda de 700 libras que la familia tenía que afrontar; la inminente elección del nuevo preboste de Oriel, entre Hawkins y Keble, y la inquietud y tensión acumuladas ante la responsabilidad de ser examinador. Cfr. Anotaciones del 21 de febrero de 1828, en *Suyo con afecto*, pp. 65-66.
[39] En su diario escribe después de más de un mes de la muerte de su hermana: "¡Mary, querida Mary, querida hermana mía! Desde lo más hondo de mi corazón lo sé: es mejor así, está bien así; lo veo, sé que es, en la Providencia de Dios, lo mejor para todos. No me quejo ni me he quejado en lo más mínimo, pero... me siento mal, y tengo que dejar de escribir". Anotación del 21 de marzo de 1828, en *Suyo con afecto*, p. 65.
[40] *Apologia*, 61.

Esta segunda conversión fue en parte espiritual –de hecho, consideró la muerte de su hermana como "la aflicción más grande que me ha mandado la mano amorosa de Dios"[41]–, pero sobre todo fue una conversión de orden intelectual. En una entrada de su diario, fechada en julio de 1826, había sintetizado su itinerario intelectual de los dos años anteriores: "He cambiado mucho de opinión sobre muchas cosas en este tiempo",[42] y es que en sus años como Fellow en Oriel había conectado con sus colegas de claustro, muchos de los cuales eran de tendencia racionalista liberal[43], y a veces eran denominados los "noéticos". Se comentaba con ironía que la sala de profesores de Oriel "apestaba a lógica".[44] Había entablado una especial familiaridad con uno de ellos, Richard Whately, que le abrió horizontes intelectuales y académicos, y le invitó a colaborar con él en varios proyectos, aunque esta amistad no duraría mucho tiempo. También había conocido a otros colegas de orientación religiosa más doctrinal y espiritual que la de los liberales, como John Keble (quien abandonaría pronto la vida académica) y Edwuard Pusey (hombre inteligente y devoto). Ellos dos, junto con Newman y otros (Hurrell, Froude, etc.) serían después la base del Movimiento de Oxford.

A sus 27 años Newman es consciente de las influencias liberales en su pensamiento. Su segunda conversión le hace caer en la cuenta del peligro del escepticismo. A partir de entonces combatirá contra él durante el resto de su vida, según lo expresó en el emotivo discurso al ser nombrado cardenal en 1879.[45]

---

[41] Anotación del 21 de febrero de 1828, en *Suyo con afecto*, p. 65.
[42] Anotación del 26 de julio de 1826, en *Suyo con afecto*, p. 55.
[43] Thomas Arnold, Richard Whatley y José Blanco White.
[44] M. Trevor, *John Henry Newman. Crónica de un amor a la verdad*, 2a. ed., Salamanca, Sígueme, 2010, p. 36.
[45] Cfr. *Cartas y diarios*. "Biglietto Speech", selección, traducción y notas de Víctor García Ruiz y José Morales, Madrid, Rialp, 1996.

"No he pecado contra la luz"
Una tarea que realizar, verano de 1833

Sus desavenencias con Edward Hawkins, el nuevo Provost de Oriel desde 1828, le llevan a dimitir de su cargo oficial como tutor. Se concentra entonces en la preparación de sus sermones como párroco de la iglesia de Santa María, y en el estudio de los padres y de los concilios primitivos. En el verano de 1832 (junio-julio) termina la redacción de su primera obra: *Arrianos del siglo IV*. Está extenuado del trabajo de los meses anteriores y necesitado de descanso. Por ello, parte con su amigo Hurrell Froude y el padre de éste a un viaje por el Mediterráneo que durará hasta el verano del año siguiente y que tendrá importantes consecuencias.[46]

En su estancia en Sicilia cae gravemente enfermo. Durante diez días está al borde de la muerte, hasta el punto de que su sirviente, que hace ahora de enfermero, le pide que le deje sus últimas instrucciones. Se las da, pero le dice –aunque sin entender muy bien el significado de sus propias palabras–: "No voy a morir [...]. No voy a morir porque no he pecado contra la luz, no he pecado contra la luz".[47] Una vez recuperado y a punto de emprender su regreso a Londres, el sirviente percibe que su señor está abatido y sollozante, y le pregunta por la causa de su aflicción. Newman sólo responde: "Tengo una tarea que realizar en Inglaterra".[48] Esa tarea no será otra que la puesta en marcha del Movimiento de Oxford, o movimiento tractariano, del que será su principal inspirador y organizador.

En esta tercera experiencia de conversión podemos distinguir dos dimensiones. La primera es esencialmente espiritual: tanto el sentimiento de cercanía de la muerte como la percepción de una misión

---

[46] *Vid.* V. García Ruiz, *John Henry Newman: el viaje al Mediterráneo de 1833*, Madrid, Encuentro, 2019.
[47] *Apologia*, 83.
[48] *Apologia*, 84.

que Dios le encomienda parecen haber favorecido su abandono en Dios y su confianza en la Providencia. Muestra de ello es el poema autobiográfico que escribe en su viaje de retorno a Inglaterra que más tarde se convertirá en el conocido himno "Lead, Kindly Light" ("Guíame, luz bondadosa").[49] El poema trasluce la turbación de un alma religiosa y noble al intuir una tarea inmensa que Dios pone en sus manos.[50]

La segunda dimensión de esta experiencia es de tipo eclesiológico. Newman comprende que su misión en adelante consiste en renovar desde dentro la Iglesia de Inglaterra. Por eso, desde su regreso del Mediterráneo comienza a elaborar una eclesiología específicamente anglicana, como *Via Media* entre el protestantismo de los reformadores del siglo XVI y el catolicismo romano. No se trata de un antojo intelectual o un ejercicio especulativo. En la *Via Media* descansa el deseo de activar una Iglesia nacional en decadencia, tanto en el terreno doctrinal como en el sacramental y espiritual. Ello exigía apoyarse en el segundo principio fundamental del Movimiento de Oxford: el principio sacramental, inseparablemente unido al principio dogmático.

> Estaba seguro –recordaba Newman en 1864– de la verdad de una doctrina religiosa precisa, basada en el fundamento del dogma: había una Iglesia visible con sacramentos y ritos que eran canales de la Gracia invisible. Pensaba que ésta era la enseñanza de la Escritura, de la Iglesia primitiva y de la Iglesia anglicana. Tampoco aquí he cambiado de opinión y estoy tan seguro ahora de este punto como lo estaba en 1833, y nunca he dejado de estarlo".[51]

Sin embargo, con el tiempo Newman irá tomando conciencia de la fragilidad de la empresa de la *Via Media*. En efecto, en el verano

---

[49] *Verses on Various Occasions* [1867], p. 90. *The Pillar of the Cloud* (Lead, Kindly Light), p. 156. Este himno es hoy rezado tanto por católicos como por anglicanos. Por lo general se canta con la melodía de "Lux Benigna", compuesta por John B. Dykes (1823-1876).

[50] Newman siempre consideró el sermón de Keble ("Apostasía nacional", 14 de julio de 1833) como el inicio del Movimiento de Oxford.

[51] *Apologia*, 99.

de 1839 le asalta por primera vez "la idea de que el anglicanismo era insostenible".[52] La historia de los primeros concilios le mostraba que la *Via Media* estaba en el camino equivocado.[53] A esa sacudida le sigue pronto otra: en 1839 una frase de san Agustín en un artículo del teólogo católico Nicholas Wiseman, futuro cardenal y primer arzobispo de Westminster (1850) lo afecta: "*Securus iudicat orbis terrarum*" ("El mundo entero [el orbe católico] es un juez seguro"); se trataba del principio básico de todos los primeros concilios: todos deben sostener lo que la mayoría de la Iglesia acepta como verdad. Preferir la propia opinión frente al consentimiento de la mayoría es el inicio de un camino hacia el error y la herejía. "*Securus iudicat orbis terrarum*". "Con estas grandes palabras del antiguo Padre, que interpretaban y resumían el largo y accidentado curso de la historia de la Iglesia, la teoría de la *Via Media* había quedado pulverizada".[54] Tras un primer sobresalto, Newman se tranquiliza, pensando que aún quedan cosas que investigar y esperando recibir más adelante alguna luz nueva.[55]

¿Qué hizo en esta situación? Vale la pena citar con amplitud un texto de nuestro autor que da testimonio de su rectitud de intención y su pasión por la verdad:

> Tomé a decisión de guiarme no por la imaginación sino por la razón. [...] Si no hubiera sido por esta determinación me hubiera hecho católico antes. [...] Me dije entonces que sólo el tiempo podía resolver la cuestión. Lo mío era seguir como siempre y obedecer las convicciones a las que me había entregado desde tiempo atrás, que todavía me poseían y con las que mis nuevas ideas no guardaban relación directa.

---

[52] *Apologia*, 162.

[53] Así lo relata en *Apologia*: "Mi baluarte era la Antigüedad; y he aquí que, en pleno siglo v, me pareció ver reflejada la cristiandad de los siglos xvi y xix. Vi mi rostro en ese espejo: yo era un monofisita. La Iglesia de la *Via Media* ocupaba el lugar de la Comunión Oriental; Roma estaba donde está ahora, y los protestantes eran los Eutiquianos", *Apologia*, 163.

[54] *Apologia*, 166.

[55] Al respecto escribe: "Por un momento había tenido la idea de que 'después de todo, la Iglesia de Roma es quien tiene la razón', para luego desvanecerse. Mis antiguas convicciones continuaban como antes", *Apologia*, 166-167.

La nueva visión de las cosas sólo podía influirme si poseía una fuerza lógica sobre mí. Si venía de arriba, volvería -confiaba yo-, y volvería con líneas más definidas, con mayor coherencia y firmeza probatoria.[56]

La actitud de Newman -no sólo es prudente sino, sobre todo, fiel a su conciencia y comprometida con la verdad- tiene su reflejo en el comentario de Charles Reding, el protagonista de *Perder y ganar*, ante la encrucijada en la que se ve envuelto en su búsqueda de la verdadera Iglesia de Cristo: "Dios quiere que nos guiemos por la razón -exclama-. No digo que la razón lo sea todo, pero es algo. Y no debemos actuar sin contar con ella, ni en contra de ella".[57] El principio de actuación de Newman es también compartido por su *alter ego* de *perder y ganar*: "En este mundo no hay otra fuerza que el compromiso con la razón ni otra libertad que sentirse cautivo de la verdad".[58]

No es nuestro propósito detenernos en los pormenores del trayecto intelectual de Newman desde 1839 hasta su recepción en la Iglesia católica, el 9 de octubre de 1845. Basta citar aquí algunos hechos que debilitaron más su fe en la Iglesia anglicana: sus investigaciones históricas sobre la herejía arriana del IV siglo, que le persuaden de que ya entonces Roma era la verdadera defensora de la ortodoxia; la publicación del Tracto 90,[59] en febrero de 1841, donde pretende demostrar que la doctrina de la Iglesia antigua puede hallarse -haciendo una interpretación católica, no protestante- en los textos oficiales anglicanos, especialmente en los treinta y nueve artículos; la creación, en 1841, por parte de los gobiernos de Inglaterra y de Prusia, de un obispado común en Jerusalén, cuyo obispo sería alternativamente un anglicano y un luterano-calvinista, o su investigación sobre el *Desarrollo*

---

[56] *Apologia*, 168.
[57] *PG*, 130.
[58] *PG*, 29.
[59] *Vid. Tracto 90. Apuntes sobre algunos pasajes de los Treinta y nueve artículos* (traducción, introducción y notas de José Gabriel Rodríguez Pazos), Salamanca, Centro de Estudios Orientales y Ecuménicos "Juan XXIII", 2017.

de la doctrina cristiana, que le confirma que la Iglesia católica romana del siglo XIX es un "desarrollo" auténtico de la Iglesia primitiva.[60]

Son estos años de dudas y zozobras que afectan a su conducta y a su relación con la Iglesia anglicana; años de un esfuerzo infatigable para fundamentar la eclesiología anglicana, a pesar de los golpes que iba recibiendo. En la *Apologia* escribe: "Desde finales del 1841, yo me encontraba en el lecho de muerte de mi anglicanismo".[61]

El 19 de abril de 1842 se retira a Littlemore, aldea situada a tres km de Oxford y perteneciente la parroquia de Santa María, donde había acondicionado una casa tiempo atrás. Allí comparte con algunos discípulos y amigos que le han seguido una forma de vida casi "monástica", a base de estudio, oración y penitencia. En 1843 dimite como párroco de Santa María. Su último sermón es el 25 de septiembre, y el lunes siguiente en Littlemore dice adiós con un sermón entrañable: "La despedida de los amigos". Dice a sus oyentes: "Oh hermanos míos, oh corazones amables y afectuosos..., si alguien os animó, sosegó, abrió un camino en vuestras inquietudes o consoló a los perplejos..., si habéis tomado interés por él, acordaos del mismo en el futuro, aunque no le oigáis y rezad por él, para que en todas las cosas pueda conocer la voluntad de Dios y en toda ocasión esté dispuesto a cumplirla".[62] El tiempo de Littlemore es tiempo de espera. No quiere dar ningún paso sin asegurarse antes de que no sea presa de un engaño. Cuando llega el momento, a sus 44 años de edad, al Newman "ya agonizante anglicano", sólo le queda la última y definitiva opción: la comunión con Roma.[63]

---

[60] Newman decidió marcarse una especie de prueba: concluir su *Ensayo sobre el desarrollo de la doctrina cristiana*, y tomar la decisión de convertirse si al final se confirmaba lo que ya intuía sobre la Iglesia católica romana.

[61] *Apologia*, 194.

[62] *Sermons on Subjects of the Day*, 26, p. 409 ("The Parting of Friends"); *SP*, 7, 232 ("Separarse de los amigos").

[63] Cfr. I. Ker, *La espiritualidad personal a la luz de J. H. Newman: sanar la herida de la humanidad*, Madrid, Encuentro, 2006, p. 8.

"Sentía como si hubiera llegado a puerto después de una galerna", 9 de octubre de 1845

Resultan entrañables los últimos acontecimientos y detalles de la vida de John Henry Newman antes de su recepción en la Iglesia católica romana. Dos discípulos suyos, residentes en Littlemore, habían sido recibidos en la Iglesia de Roma pocos días antes: John Dalgairns (29 de septiembre de 1845) y Ambrose Saint John (2 de octubre de 1845). Es entonces cuando Newman entra súbitamente en acción. Renuncia a su cargo en Oriel College, deja donde está la redacción de su *Ensayo sobre el desarrollo de la doctrina cristiana*,[64] y se prepara interiormente para cuando llegue el momento. El pasionista Domingo Barbieri pasaba por Oxford camino del extranjero. Dalgairns le había pedido que visitara de nuevo Littlemore, donde ya había estado en una ocasión anterior. Dalgairns dejó constancia de que, al ir a esperar el coche en el que venía Barbieri, Newman le había encargado, en un tono bajo y sereno: "Cuando veas a tu amigo, ¿tendrías la bondad de decirle que me reciba en la Iglesia de Cristo?" Así lo hizo. Se lo dice al pasionista cuando éste baja del coche completamente calado, después de varias horas en la cubierta del coche, con un tiempo horroroso. Barbieri responde: "Alabado sea Dios, y –narra el cronista– ninguno de los dos hablamos de nuevo hasta que llegamos a Littlemore".[65] Llegan tarde, a las 11 de la noche del 8 de octubre, mientras sigue lloviendo fuertemente.

Y ahora es el padre Barbieri quien relata: "Me coloqué junto al fuego para secarme. Se abrió la puerta y ¡qué espectáculo para mí ver a mis pies a John Henry Newman rogándome que le oyera en confesión y que le admitiera en el seno de la Iglesia católica! Allí junto al fuego comenzó su confesión general con gran humildad y devoción".[66]

---

[64] "No había llegado al final, cuando decidí convertirme; el libro está hoy como quedó entonces, sin terminar". *Apologia*, 272.
[65] Meriol Trevor, *John Henry Newman...*, p. 133.
[66] *Ibid.*

La conversación terminaría al día siguiente, 9 de octubre. Lógicamente, no es posible conocer su contenido, pero quizás puede encontrarse aspectos de la misma en la carta que un año más tarde Newman escribe a una mujer (la señora Bowden), quien le pide consejo ante unos contratiempos. Le dice: "No es difícil imaginar que el momento antes de pasar a la acción sea particularmente sombrío: puede que los pensamientos estén confusos, que no nos venga a la mente ninguna razón para actuar; también puede pesar sobre nosotros la terrible grandeza del paso que damos, sin ninguna percepción concreta de sus consecuencias. Algunas personas prefieren que las dejen solas en tal crisis, otras hallan consuelo en la presencia de otros... Yo no pude hacer otra cosa que encerrarme en mi habitación y tenderme en la cama.[67] El 9 de octubre de 1845, Newman y dos de sus jóvenes seguidores pronuncian la confesión de fe con fervor y piedad. A la mañana siguiente Barbieri celebra la misa en la pequeña capilla de Littlemore, sobre la mesa en la que Newman estaba escribiendo el *Ensayo sobre el desarrollo de la doctrina cristiana*.

Entrar en la Iglesia católica fue para Newman como "salir a alta mar".[68] No resultó fácil abandonar personas y lugares que formaban parte de su vida. En *Apologia* escribe, con un laconismo que trasluce sufrimiento y nostalgia: "Me fui de Oxford, para siempre, el lunes 23 de febrero de 1846 [...]. Desde entonces no he vuelto a poner los ojos en Oxford, más que en las torres, tal como se ven desde el tren".[69] Un dolor similar sintió al abandonar Littlemore, como se lo denota en una carta de la época: "Me afecta profundamente dejar Littlemore [...]. Ha sido más que costoso para mí. Tuve que arrancarme a mí mismo del sitio, y no pude evitar besar la cama y la chimenea y otros rincones... He sido muy feliz allí a pesar de encontrarme en una situación de espera. Allí me ha sido señalado mi camino y he recibido

---

[67] *Ibid.*, p. 134.
[68] Carta a Ambrose St. John, en *LD* XI, 95.
[69] *Apologia*, 274-275. Años más tarde anotó: "Volví a Oxford, finalmente, el 26 de febrero de 1878, después de treinta y dos años". *Apologia*, 275, n. 84.

la respuesta a mis oraciones".[70] Hombre de aguda sensibilidad y de hondo sentido de agradecimiento, no podía despedirse de otro modo de aquellos lugares.[71]

Su ingreso en la Iglesia católica supuso ciertamente un desgarro hondo en los planos personal, académico e institucional: perdió a gran parte de sus amigos y conocidos, fue rechazado por su propia familia, se vio obligado a abandonar su actividad universitaria y su amada parroquia de Santa María; en definitiva, pasó de ser uno de los hombres más prestigiosos de la Iglesia anglicana, a ser un personaje casi desconocido de una Iglesia que, aunque universal, no contaba por entonces con mucho espacio para el mundo anglosajón.[72] Sin embargo, en el plano intelectual y espiritual, la conversión de Newman fue más *continuidad* que *ruptura*.

> Al convertirme no noté que se produjera en mí ningún cambio, intelectual o moral. No es que empezara a sentir una fe más firme en las verdades fundamentales de la Revelación o un mayor dominio sobre mí mismo. Tampoco tenía más fervor. Pero sentí como si hubiera llegado a puerto después de una galerna; y mi felicidad por haber encontrado la paz ha permanecido sin la menor alteración hasta el momento presente.[73]

---

[70] Carta a W. J. Copeland, en *LD* XI, 132-133.

[71] En una escena de *Perder y ganar* –antes de que el protagonista abandone definitivamente Oxford en tren hacia Londres para hacerse católico– se vislumbran los sentimientos del autor de la novela en su experiencia personal: "Ya no le quedaba más que hacer cuentas con el posadero y salir para Londres. Pero no podía irse sin dar un adiós al lugar mismo. [...] ¡Cuántos recuerdos! ¡Era la última vez! Nadie le veía. Abrió los brazos y se abrazó a aquellos sauces tan queridos, y los besó. Arrancó algunas hojas negras y se las guardó". *PG*, 359.

[72] *Vid.* H. Geissler, "Le delusioni di Newman dopo la conversione", *L'Osservatore Romano* (20 de agosto de 2017), p. 7.

[73] "Desde que me hice católico, por supuesto, se acabó la historia de mis 'opiniones religiosas'; ya no hay nada que narrar. No quiero decir con esto que mi mente haya estado inactiva o que haya dejado de pensar en asuntos teológicos, por no haber cambios de los que pueda dar cuenta ni, en absoluto, ansiedad alguna en mi corazón. Mi paz y mi alegría han sido perfectas, y no he vuelto a tener una sola duda". *Apologia*, 276.

Fue un proceso lento pero progresivo el que le llevó desde la intensa experiencia de Dios de su juventud, hasta la convicción de la verdad de la Iglesia católica romana.[74]

2. Conversión cristiana

La pasión por la verdad[75] alentó a John Henry Newman durante su vida en la búsqueda del auténtico rostro de Dios y de la Iglesia. Ninguna etapa de su itinerario personal fue superflua: el evangelismo sencillo pero vigoroso de su primera juventud; sus años de fascinación ante el liberalismo del momento junto con los acontecimientos que le despertaron de ese sueño; las luces recibidas en su viaje por el Mediterráneo; las dos décadas de esfuerzo por reconstruir la tradición apostólica para legitimar la Iglesia anglicana, como *Via Media* entre la Iglesia de Roma y el protestantismo, y tras su recepción en la Iglesia católica, su decisión de servir a la Iglesia en las no siempre fáciles circunstancias que encontró en su camino. Cada experiencia personal fue guiando su camino, orientando su misión y forjando su extraordinaria personalidad. Aunque el contexto histórico y teológico de su vida es bastante diferente del nuestro, su recorrido personal nos permite esbozar importantes rasgos de la conversión cristiana.

---

[74] Los sentimientos de Newman en el momento de abrazar la fe católica pueden intuirse al leer la descripción que hace del protagonista de *Perder y ganar*, Charles Reding, recién convertido. Narra la novela que Charles estaba "poseído de una paz inmensa y una serenidad de mente que no había creído posibles en este mundo. Era como esa quietud que se hace casi sólida en los oídos cuando desaparece la última vibración de una campana que ha estado repicando mucho rato. Se sentía como si hubiera rescatado su infancia, como si estuviera empezando de nuevo su vida. Pero sentía en el corazón mucho más que la alegría ilimitada de la infancia. Creía sentir una roca bajo sus pies; era la *soliditas Cathedrae Petri*... Charles se encaminó hacia la celda lentamente, tan feliz en su presente que no tenía un solo pensamiento ni para su pasado ni para su futuro". *PG*, 396-397.

[75] *Vid.* J. R. Velez, *Passion for Truth. The Life of John Henry Newman*, Charlotte, Carolina del Norte, TAN/St. Benedict's Press, 2012.

La conversión tiene como protagonista a Dios

Tanto es su principio como en su desarrollo y en su fin, es Dios quien, con su gracia, despierta, ilumina y mueve el corazón del hombre, en momentos y lugares imprevistos, según su providencia. Cada conversión es única e irrepetible. En el caso de Newman, los momentos más sobresalientes de su vida hasta su recepción en la Iglesia católica estuvieron ligados, curiosamente, a la enfermedad, según él mismo recordaba, ya entrado en años (1869), al echar una mirada atrás: la primera conversión, a la edad de 15 años, le apartó del escepticismo y "le hizo cristiano"; la segunda, en 1827, le arrancó por completo de su incipiente liberalismo y marcó definitivamente su orientación religiosa, y la tercera, en Sicilia en 1833, purificó su voluntad y abrió ante él una nueva y extraordinaria esfera de acción.[76]

La conciencia personal, fuerza motriz de la conversión cristiana

A la pregunta, ¿por qué Newman se hizo católico?, puede responderse llanamente que fue por una cuestión de fidelidad a los dictados de su conciencia, en un proceso interior que se prolongó durante casi 30 años.[77] Así lo expresó a los pocos años de hacerse católico, haciendo suyos los sentimientos de san Pablo:

---

[76] Cfr. Anotación del 25 de junio de 1869, en *Suyo con afecto*, p. 425.

[77] "Newman no articuló intelectualmente de modo sistemático lo que en la práctica logró realizar en su propia vida: una conciencia *unificada* como un radical dinamismo para la verdad, la bondad y el amor, que ineluctablemente le impulsaron a la realidad última de la misma verdad, bondad y bien, a Dios." W. E. Conn, *Conscience & conversion in Newman. A Developmental Study of Self in John Henry Newman*, Milwaukee, Marquette University Press, 2010, p. 122. Aunque no desarrolló esa reflexión sistemática y completa, sí propuso los temas principales de la gran "sinfonía" de la conciencia, dejando los arreglos a las generaciones sucesivas. Así se expresa Conn, citando a Bernard Lonergan como un receptor destacado de las intuiciones de Newman sobre el tema de la conversión y la conciencia. Cfr. *ibid.* Vid también, Ch. Morerod, "Conscience According to John Henry Newman", *Nova et Vetera* 11(2013): 1057-1079; *Etudes Newmaniennes*, vol. 23: "Le thème de la conscience dans la pensée de Newman", Lyon, Association Française des Amis de John Henry Newman, 2007.

Aunque lleno de imperfecciones y miserias, creo poder decir en mi medida como el apóstol: "He vivido en buena conciencia ante Dios hasta este día. El motivo de nuestro orgullo es el testimonio de nuestra conciencia, de que nos hemos conducido en el mundo y con respecto a vosotros con la sencillez y sinceridad que vienen de Dios, y no con sabiduría carnal" (cfr. Hch 23, 1; 2 Co 1, 12). He seguido la guía del Señor, y Él no me ha decepcionado. Me he puesto en sus manos, y Él me ha dado lo que yo buscaba.[78]

En su itinerario existencial da prueba de una sólida y decidida coherencia espiritual, intelectual y moral, comprometiendo toda su persona en lo que percibe como una llamada imperiosa de Dios.[79] Su vida y su obra se podrían entender como un gran comentario al problema de la conciencia.[80] Las incertidumbres y dudas que experimentó no le empujaron a traicionar sus principios o a ser infiel a su conciencia. Sus convicciones íntimas y su acción externa fueron siempre de la mano, sin importar el costo.[81] Percibió en primera persona que "la conciencia es un consejero exigente", según escribió en la conocida *Carta al Duque de Norfolk*.[82]

---

[78] Discurso XII, "Perspectivas del predicador católico", en *Discursos sobre la fe* (*Discourses to mixed congregations*, 1849), Madrid, Rialp, 1991, p. 260. Este sermón fue predicado el 31 de mayo de 1849, en la inauguración del Oratorio de Londres.

[79] En toda conversión-vocación converge un conjunto de relaciones en las que están implicadas la libertad, la naturaleza y la historia de cada persona. *Vid.* P. Marti, "Vocación, historia y discernimiento", *Scripta Theologica* 50(2018): 433-462.

[80] Cfr. J. Ratzinger, "Conciencia y verdad" (conferencia dictada en 1991), en *Ser cristiano en la era neopagana*, 2a. ed., Madrid, Encuentro, 2006, p. 37. *Vid.* H. Geissler, "Coscienza e conversione. Nelle memoria del beato John Henry Newman", *L'Osservatore Romano*, 8 de octubre de 2017, p. 7.

[81] Cfr. K. Beaumont, *Dieu intérieur*, p. 117. Según señaló el cardenal Ratzinger, "Newman, como hombre de conciencia, se transformó en un converso; fue su conciencia la que lo condujo desde antiguos vínculos y certezas del hasta el mundo del catolicismo, que era para él difícil y extraño. Pero esta vía de la conciencia es muy distinta a un camino de subjetividad autosuficiente: es una vía de obediencia a la verdad objetiva". J. Ratzinger, *Discurso con motivo del centenario de la muerte del Card. John Henry Newman*, 28 de abril de 1990.

[82] *Carta al Duque de Norfolk*, Madrid, Rialp, 2013, p. 75 ("A Letter Addressed to the Duke of Norfolk on Occasion of Mr. Gladstone's Recent Expostulation", en *Cer-*

En el pensamiento moderno, la conciencia queda reducida a la autoconciencia del yo o certeza subjetiva, de manera que se convierte en una instancia que dispensa de la verdad, que justifica la propia subjetividad y que no admite ser cuestionada.[83] Newman era bien consciente de ese riesgo. En la *Carta al Duque de Norfolk* (1874) desenmascara a un peligroso adversario que intentaba desbancar a la conciencia: "El derecho del espíritu propio, la autonomía absoluta de la voluntad individual".[84] Newman reacciona frente a este peligro: "Cuando los hombres invocan los derechos de la conciencia no quieren decir para nada los derechos del Creador ni los deberes de la criatura para con Él. Lo que quieren decir es el derecho de pensar, escribir, hablar y actuar de acuerdo con su juicio, su temple o su capricho, sin pensamiento alguno de Dios en absoluto [...]. La conciencia tiene derechos porque tiene deberes".[85]

En la estela de san Agustín y de santo Tomás de Aquino, Newman –que ha sido llamado "doctor de la conciencia"[86]– plantea el tema de la conciencia en el marco de la ley natural, entendida como participación del hombre en la ley eterna: "Esta ley, en tanto que aprehendida por la mente de cada hombre, se llama conciencia; y aunque pueda sufrir deformación al pasar al medio intelectual de cada uno, no se ve afectada hasta tal punto que pierda su carácter de ley divina sino que conserva, como tal, la prerrogativa de ser obedecida".[87]

---

tain *Difficulties Felt by Anglicans in Catholic Teaching*, vol. 2, Londres, Longmans, Green, and Co., 1900). Cfr. J. Ratzinger, "Conciencia y verdad, pp. 31-37.

[83] *Carta al Duque de Norfolk*, p. 75.

[84] *Ibid.*

[85] Sobre la originalidad y continuidad de la doctrina de Newman sobre la conciencia, *vid.* L. Terlinden, "The Originality of Newman's Teaching on Conscience", *Irish Theological Quarterly* 73(2008): 294-306.

[86] *Vid.* p. ej., H. Geissler, "Doctor de la conciencia. Hace un año el Papa proclamó beato al teólogo inglés John Henry Newman", *L'Osservatore Romano* (25 de septiembre de 2011), pp. 10-11; D. Morgan, "Newman Doctor of Conscience, Doctor of the Church?", *Newman Studies Journal* 4(2007): 5-23; E. J. Miller, *Conscience the Path to Holiness: Walking With Newman*, Cambridge, Cambridge Scholars Publishing, 2014, 30.

[87] *Ibid.*, p. 73.

La conciencia es la presencia perceptible e imperiosa de la voz de Dios en el hombre y, por ello, la superación de la pura subjetividad. No es "una especie de egoísmo previsor ni un deseo de ser coherente consigo mismo; es un mensajero de Dios que tanto en la naturaleza como en la gracia nos habla desde detrás de un velo y nos enseña y rige mediante sus representantes",[88] es "el más genuino Vicario de Cristo", que participa en el triple oficio profético, sacerdotal y real de Jesucristo.[89] La conciencia es el "gran maestro íntimo de la religión",[90] que obedece a la "voz divina que habla en nosotros".[91] Al mismo tiempo, aunque Newman sostiene que la conciencia humana es un principio arraigado en nosotros y anterior a toda forma de aprendizaje, reconoce su falibilidad y no deja de insistir en que "el aprendizaje y la experiencia son necesarias para su desarrollo, su crecimiento y su buena formación".[92]

La obediencia a la verdad, en el corazón de la conversión

Al recibir el cardenalato casi al final de su vida, resumió su existencia como una batalla contra el liberalismo en religión, al que describe del siguiente modo: "La doctrina según la cual no existe una verdad positiva en el ámbito religioso, sino que cualquier credo es tan bueno como otro cualquiera. Es una opinión que gana acometividad y fuerza días tras día. Se manifiesta incompatible con el reconocimiento de una religión como verdadera, y enseña que todas han de ser toleradas como asuntos de simple opinión. La religión revelada –se afirma– no es una

---

[88] *Carta al Duque de Norfolk*, pp. 73 74.
[89] *Ibid.*
[90] *GA*, 316; *Oxford University Sermons*, 2, pp. 72-75 (en castellano *La fe y la razón. Quince sermones predicados ante la Universidad de Oxford (1826-1843)*, Madrid, Encuentro, 1993, Sermón 2).
[91] *Carta al Duque de Norfolk*, p. 79.
[92] *Carta al Duque de Norfolk*, p. 74. *Vid. The Idea of a University* (1852 y 1858; 1873); P. Blanco, "La teología en la universidad. Un recorrido por Newman, Guardini y Ratzinger", *Scripta Theologica* 48(2016): 271-294.

verdad sino un sentimiento o inclinación; no obedece a un hecho objetivo o milagroso. Todo individuo, por lo tanto, tiene el derecho de interpretarla a su gusto".[93] Una batalla contra el liberalismo en religión significaba una batalla contra una interpretación de la conciencia personal como pura autonomía y como criterio decisivo de verdad.

La conciencia ocupa un puesto central en el pensamiento de Newman precisamente porque en su centro está la pasión por la verdad.[94] Para él la conciencia supone la presencia del eco de la verdad dentro del sujeto, el encuentro entre la interioridad del hombre y la verdad que viene de Dios. Este hecho se explicita en uno de los versos del poema que escribió en su viaje por el Mediterráneo en 1833, durante su tercera experiencia de conversión: "¡Guíame Tú! ¡Dirige Tú mis pasos! No te pido ver claramente el horizonte lejano: me basta con avanzar un poco... No siempre he sido así, no siempre te pedí que me guiases Tú. Me gustaba elegir yo mismo y organizar mi vida... pero ahora, ¡guíame Tú!".[95] Sus sucesivas conversiones no vinieron determinadas por sus gustos y deseos o por la consecución de lo socialmente más ventajoso, sino por el primado de la verdad y sus exigencias.[96]

Podría decirse que en un nivel anterior al de juzgar y decidir, la conciencia personal se movería según Newman en un primer nivel esencialmente ontológico, constituyendo una especie de memoria original acerca de la verdad y del bien, ligada a nuestra constitución a imagen y semejanza de Dios. Se trataría de un saber no articulado conceptualmente, de un sentido interior o una capacidad de recono-

---

[93] *Cartas y diarios. "Biglietto Speech"*, pp. 162-163.

[94] *Vid.* I. Ker y T. Merrigan (eds.), *Newman and Truth*, Louvain, Peeters, 2008.

[95] *Verses on Various Occasions* (1867), p. 90. *The Pillar of the Cloud* (Lead, Kindly Light).

[96] "Me parece significativo –señala Ratzinger– que Newman en la jerarquía de las virtudes subraye el primado de la verdad sobre la bondad o, para decirlo más claramente, que ponga de relieve el primado de la verdad sobre el consentimiento, sobre la capacidad de acomodación al grupo". J. Ratzinger, "Conciencia y verdad", p. 39.

cimiento que interpela al hombre no replegado sobre sí mismo y, por tanto, capaz de escucha.[97]

En definitiva, para el converso inglés, la conciencia representa una capacidad para reconocer la verdad, que al mismo tiempo supone la asunción de un deber de encaminarse hacia ella y de obedecerla una vez encontrada. Como ha señalado Benedicto XVI refiriéndose al pensamiento de Newman, "conciencia es capacidad de verdad y obediencia en relación con la verdad, que se muestra al hombre que busca con corazón abierto".[98]

Puede afirmarse así que la verdad es el quicio en el que se articula la vida y el pensamiento de Newman.[99]

La lógica de la conversión

La razón desempeña el importante papel de avalar la razonabilidad de lo que el corazón y la imaginación presentan, pero la *metánoia* no es la consecuencia lógica de unos razonamientos bien trabados. Es un proceso que se alimenta de experiencias concretas y que incluyen las emociones y la imaginación, la cabeza y el corazón. Es significativo que Newman quisiera encabezar su *Ensayo sobre la gramática del asentimiento* con unas palabras penetrantes de san Ambrosio: "Non

---

[97] *Ibid.*

[98] Benedicto XVI, *Discurso a la curia romana, al rememorar la beatificación de Newman*, 20 de diciembre de 2010. Newman nos recuerda que, como criaturas de Dios, "fuimos creados para conocer la verdad, y encontrar en esta verdad nuestra libertad última y el cumplimiento de nuestras aspiraciones humanas más profundas". Benedicto XVI, *Vigilia de oración por la beatificación del cardenal John Henry Newman*, Londres, 18 de septiembre de 2010.

[99] El epitafio del cardenal John Henry Newman sintetiza acertadamente su itinerario espiritual y sus enseñanzas sobre la conversión cristiana: *Ex umbris et imagínibus in veritatem*, que podríamos traducir: "Pasó de las sombras y las imágenes a la verdad". En este mismo contexto se enmarcan sus enseñanzas sobre el sentido de la fe y su relación con el magisterio. Cfr. J. Alonso, "Sensus fidelium y conciencia. Un acercamiento desde el pensamiento de John Henry Newman", en J. L. Cabria Ortega y R. de Luis Carballada (eds.), *Testimonio y sacramentalidad. Homenaje al profesor Salvador Pié-Ninot*, Salamanca, San Esteban, 2015, pp. 333-354.

in dialectica complacuit Deum salvum facere populum suum"[100] ("No quiso Dios salvar a su pueblo a través de la dialéctica"). La lógica de la conversión no es silogística o proposicional.

En una escena central de Perder y ganar, el joven protagonista le pregunta a un sacerdote católico qué es lo que hace creer a alguien que, aun deseándolo, se siente incapaz de ello por no encontrar suficientes pruebas racionales. El sacerdote le contesta: "¿Que qué le hará creer? La voluntad, su voluntad".[101] A raíz de la lectura de este pasaje, una mujer en fase de conversión le planteó a Newman: "¿Cómo voy a saber cuándo debo creer?". Y Newman le respondió en unos párrafos que resumen bien su pensamiento:

> La doctrina católica sobre la fe y la razón enseña que la razón prueba que el catolicismo *debe ser* creído y que de ese modo se presenta ante la *voluntad*, que lo acepta o lo rechaza según sea movida o no por la gracia. La razón no demuestra que el catolicismo sea *verdadero* como prueba, por ejemplo, que son verdaderas las conclusiones matemáticas [...]. Pero demuestra que sus razones para ser tenido en cuenta son tan poderosas que uno ve que debe aceptarlo. Puede haber dificultades que no podemos responder, pero vemos en conjunto que existen motivos suficientes para la convicción. No es una convicción pura y simple. Porque si fuera inevitable, podría decirse que se nos fuerza a creer, como nos vemos obligados a aceptar las conclusiones matemáticas. Pero queda a nuestra discrecionalidad si hay o no motivos suficientes para la convicción, es decir, si seremos o no convencidos.[102]

Las dificultades concretas para creer a las que se enfrentan las personas no son tanto de índole intelectual como moral: "Diez mil dificultades no hacen una sola duda",[103] afirma elocuentemente Newman.

---

[100] San Ambrosio de Milán, *De Fide ad Gratianum Augustum*, I, p. 42 (CSEL 78, 18).
[101] *PG*, 36.
[102] Carta a Catherine Ward, 12 de octubre de 1848, en *LD* XII, 289.
[103] *Catecismo de la Iglesia católica*, 175, citando *Apologia*, 277.

Toda conversión lleva su tiempo

La conversión es, por lo general, un proceso lento, donde entran en juego muchos factores. Newman señala al respecto, en un sermón titulado "Conversiones repentinas": "Cuando los hombres cambian de opinión religiosa real y verdaderamente, no son sólo sus opiniones lo que cambia, sino que cambia el corazón. Y esto, evidentemente no se hace en un momento; es un trabajo lento".[104] Respecto a su propia experiencia de conversión, señala en la *Apologia*: "Las decisiones importantes llevan su tiempo".[105]

Otro ejemplo de este hecho la encontramos en la carta a una joven anglicana que estaba inquieta al pensar que no avanzaba en su discernimiento sobre su conversión al catolicismo. El cardenal Newman le escribe: "No me extraña que se pare usted antes de dar un paso tan trascendental y solemne. No obstante, yo no diría que sus titubeos sean evidencia de una falta de certeza; no son más que una nube que nos viene encima de repente y como a rachas cuando uno está mentalmente excitado y agitado [...]. Mientras dure la nube, hay que esperar; pero no deje de esperar, no haga caso a un consejo que la lleve a arrinconar lo que, por lo que usted sabe, es la voz de Dios. Lo que debe hacer es pedir luces a Dios, firmemente y con perseverancia. Mejor es dudar antes de venir a la Iglesia católica que después".[106] Sabio consejo, fruto de la experiencia personal.

La conversión cristiana es positiva

Newman interpretó su trayectoria hacia la fe católica como un movimiento ascendente de crecimiento, entretejido de un conjunto de desafíos y experiencias que le impulsaron no tanto a renunciar a lo que ya creía, sino a creer más, a ampliar y enriquecer su marco de

---

[104]   *SP*, 8, 202.
[105]   *Apologia*, 214. En la versión original: "Great Acts Take Time".
[106]   Carta a Mrs. Christi, 5 de diciembre de 1879, en *LD* XXIX, en *Suyo con afecto*, p. 368.

creencias. En uno de los *Tracts for the Times* escribe que la mente religiosa es conducida desde el error a la verdad, "no tanto mediante la pérdida de lo que tiene como por la ganancia de lo que no tiene. La verdadera conversión es siempre de naturaleza positiva, no negativa".[107] Las sucesivas conversiones de Newman muestran que siempre fue el mismo, pero *llegando a ser cada vez más él mismo.* "Newman ha sido, a lo largo de toda su vida, alguien que se ha convertido –escribió Joseph Ratzinger en 1990–, alguien que se ha transformado, y de este modo ha seguido siendo siempre él mismo y ha llegado a ser cada vez más él mismo [...]. La conversión es un camino, un camino que dura toda una vida. Por eso, la fe es siempre desarrollo y, precisamente de este modo, maduración del alma hacia la Verdad, que 'es más íntima a nosotros que nosotros mismos'".[108] La conversión genuina no anula el propio modo de ser y la propia personalidad, sino que lleva a la persona a la plena realización de sí misma.

El sentido positivo de la conversión de Newman se manifestó también tras su recepción en la Iglesia católica: se encontró entonces en un ambiente teológico con elementos decadentes y carencias, en el que entre otras cosas no se fomentaba el estudio de la Biblia ni de los Padres de la Iglesia. Newman no dejó de lado las influencias positivas que el anglicanismo le había aportado, y enriqueció la teología católica del momento y la posterior con numerosas intuiciones y valores.[109]

La verdadera conversión exige unas adecuadas disposiciones personales

En el sermón "Disposiciones para la fe",[110] Newman recuerda a los fieles congregados en la iglesia de la Universidad Católica de Irlanda, en

---

[107] *Tracts for the Times*, núm. 85, p. 73 (*Discussions and Arguments*, 1872, p. 200; *vid.* también, *GA*, 249-251).

[108] J. Ratzinger, *Discurso con motivo del centenario de la muerte del Card. John Henry Newman*, 28 de abril de 1990.

[109] Cfr. I. Ker, presentación de J. H. Newman, *Apologia*, 8.

[110] Es el sermón núm. 5 de *Sermons Preached on Various Occasions*, 1856. Cito la traducción de F. M., Cavaller, en *Newmaniana* 58(2012): 23-29.

Dublín, que sin una adecuada preparación del corazón no es posible ni obtener ni custodiar el don de la fe. Su reflexión parte de varios pasajes evangélicos que muestran la necesidad de buenas disposiciones para creer. Jesús alaba la actitud abierta y decidida a creer y se duele de la dureza de corazón de quienes se cierran a su palabra.

La dificultad para la conversión proviene de los obstáculos que impiden percibir y seguir la voz de la conciencia, entremezclada frecuentemente con los ruidos de la pasión, el orgullo o el amor propio. El gran obstáculo para la fe es "un espíritu orgulloso y autosuficiente".[111] Nuestro autor describe con crudeza el temple ético de quienes carecen de las suficientes disposiciones morales para creer:

> Hombres impacientes, orgullosos, seguros de sí mismos, obstinados, generalmente están equivocados en las opiniones que se forman de personas y cosas. El prejuicio y la presunción ciegan los ojos y engañan el juicio, cualquiera que sea el tema investigado [...]. Lo mismo sucede también en las investigaciones religiosas. Cuando veo a una persona apresurada y violenta, áspera y de mente elevada, descuidada de lo que otros sienten, y desdeñosa de lo que piensan –cuando veo a tal persona proceder a investigar temas religiosos–, estoy seguro de antemano que no puede ir bien –no será conducido a toda la verdad–, es contrario a la naturaleza de las cosas y a la experiencia del mundo que encuentre lo que está buscando.[112]

En el camino de la conversión y de la fe es necesaria la recta intención y la honestidad espiritual. Se trata de una disposición interior que excluye la curiosidad, la ligereza o la frivolidad de entregarse a un debate religioso por capricho o vanidad.[113]

La fe supone estar dispuesto a asumir un riesgo.[114] En uno de sus sermones universitarios insiste en la misma idea al hablar del amor como salvaguarda de la fe frente ante la superstición: "La fe correcta arriesga y apuesta deliberadamente, responsablemente, sobria, piado-

---

[111] *Discourses to Mixed Congregations*, 13, p. 274.
[112] *SP* 8, 8, 113-114.
[113] Cfr. *Tracts for the Times*, núm. 71; *Via Media* IV.
[114] Cfr. sermón "Los riesgos de la fe" (1836), en *SP*, 4, 309 y ss.

sa y humildemente, sabiendo lo que cuesta y aceptando gustosa el sacrificio. Dondequiera que el amor es deficiente, y en el grado que lo es, allí y en el mismo grado la fe cae en exceso o se pervierte".[115] Es también lo que en la novela *Perder y ganar* le dice el sacerdote católico al protagonista cuando está a punto de convertirse: "Antes de la conversión, la fe es una aventura; después es un don".[116] Sólo un corazón penetrado en un amor auténtico es capaz de arriesgar. Y el corazón que arriesga es el mejor dispuesto a acoger el don de la fe y el mejor preparado para transmitirla.[117]

En su *Ensayo para el desarrollo de la doctrina cristiana*, Newman escribió un principio básico de la condición humana y, por tanto, válido también para la vida cristiana: "En un mundo superior ocurre de otra manera, pero aquí abajo vivir es cambiar, y ser perfecto es haber cambiado frecuentemente".[118] Ciertamente no todo cambio o desarrollo es siempre a mejor, pero es indudable que la perfección y la santidad son siempre fruto de la pasión por la verdad y la fidelidad a la conciencia, es decir, de una existencia vivida según una dinámica de conversión permanente. El viaje espiritual de John Henry Newman nos lo confirma.

---

[115] *La fe y la razón. Quince sermones predicados ante la Universidad de Oxford (1826-1843)*, p. 12, 29 de febrero de 1991 ("El amor, salvaguardia de la fe contra la superstición", 1839).

[116] *PG*, 368.

[117] *Vid.* J. Alonso, "Testimonio personal y evangelización según John Henry Newman", *Revista Española de Teología* 75(2015): 469-480.

[118] *Ensayo sobre el desarrollo de la doctrina cristiana*, p. 67.

Referencias

ALONSO, J., "Sensus fidelium y conciencia. Un acercamiento desde el pensamiento de John Henry Newman", en J. L. Cabria Ortega y R. de Luis Carballada (eds.), *Testimonio y sacramentalidad. Homenaje al profesor Salvador Pié-Ninot*, Salamanca, San Esteban, 2015, pp. 333-354.

——, "Testimonio personal y evangelización según John Henry Newman", *Revista Española de Teología* 75(2015): 469-480.

BEAUMONT, K., *Dieu intérieur. La thélogie spirituelle de John Henry Newman*, París, Ad Solem, 2014.

BENEDICTO XVI, *Discurso a la curia romana, al rememorar la beatificación de Newman*, 20 de diciembre de 2010.

BLANCO, P., "La teología en la universidad. Un recorrido por Newman, Guardini y Ratzinger", *Scripta Theologica* 48(2016): 271-294.

CONN, W. E., *Conscience & Conversion in Newman. A Developmental Study of Self in John Henry Newman*, Milwaukee, Marquette University Press, 2010.

——, *Etudes Newmaniennes*, vol. 23: Le thème de la conscience dans la pensée de Newman, Lyon, Association Française des Amis de John Henry Newman, 2007.

GARCÍA RUIZ, V., *John Henry Newman: el viaje al Mediterráneo de 1833*, Madrid, Encuentro, 2019.

Ker, I., *Newman and Conversion*, Edinburgo, T&T Clarck Ltd., 1997.

———, *La espiritualidad personal a la luz de J. H. Newman: sanar la herida de la humanidad*, Madrid, Encuentro, 2006.

Ker, I. y Merrigan, T. (eds.), *Newman and Truth*, Lovaina, Peeters, 2008.

LEFEBVRE, Ph. y MASON C. (eds.), *John Henry Newman Doctor of the Church*, Oxford, Family Publications, 2007.

MARTI, P., "Vocación, historia y discernimiento", *Scripta Theologica* 50(2018): 433-462.

MILLER, E. J., *Conscience the Path to Holiness: Walking with Newman*, Cambridge, Cambridge Scholars Publishing, 2014.

MORALES, J., "El significado de Newman en la Iglesia", en *J. H. Newman, hoy*, Documentos del Instituto de Antropología y Ética, núm. 14, Universidad de Navarra, 2011.

———, "Experiencia religiosa. La contribución de J. H. Newman", *Scripta Theologica* 27(1995): 69-91.

MOREROD, CH., "Conscience According to John Henry Newman", *Nova et Vetera* 11(2013):1057-1079.

MORGAN, D., "Newman Doctor of Conscience, Doctor of the Church?", *Newman Studies Journal* 4(2007): 5-23.

NEWMAN, J. H., *Apologia pro Vita Sua. Historia de mis ideas religiosas*, 2a. ed., Madrid, Encuentro, 2010.

———, *Autobiographical Writings*, Henry Tristam (ed.), Londres y Nueva York, Sheed & Ward, 1956.

———, *Sermones parroquiales*, 8 vols., Madrid, Encuentro, 2007-2015.

———, *Ensayo para contribuir a una gramática del asentimiento*, Madrid, Encuentro, 2010.

———, *Perder y ganar. Historia de una conversión*, 4a. ed. corr., Madrid: Encuentro, 2014.

———, *Calixta. Retazos del siglo tercero*, Madrid, Encuentro, 2010.

———, *Cartas y diarios. "Biglietto Speech"* (selección, traducción y notas de Víctor García Ruiz y José Morales), Madrid, Rialp, 1996.

NEWMAN, J. H., *Discursos sobre la fe* (*Discourses to mixed congregations*, 1849), Madrid, Rialp, 1991.

———, J. H., *Carta al Duque de Norfolk*, Madrid, Rialp, 2013.

———, *La fe y la razón. Quince sermones predicados ante la Universidad de Oxford (1826-1843)*, Madrid, Encuentro, 1993.

———, *Tracto 90. Apuntes sobre algunos pasajes de los Treinta y nueve artículos* (traducción, introducción y notas de José Gabriel Rodríguez Pazos), Salamanca, Centro de Estudios Orientales y Ecuménicos "Juan XXIII", 2017.

RATZINGER, J., "Conciencia y verdad" (conferencia dictada en 1991), en *Ser cristiano en la era neopagana*, 2a. ed., Madrid, Encuentro, 2006, pp. 29-50.

———, *Introducción al cristianismo*, Salamanca, Sígueme, 1967.

TREVOR, M., *John Henry Newman. Crónica de un amor a la verdad*, 2a. ed., Salamanca, Sígueme, 2010.

VÉLEZ, J. R., *Passion for Truth. The Life of John Henry Newman*, Charlotte, Carolina del Norte, EUA, TAN/St. Benedict's Press, 2012.

II
¿Fue Newman un "teólogo"?

Keith Beaumont

Introducción

A primera vista, el título del presente ensayo puede parecer ligeramen-te absurdo. No en balde se reconoce universalmente a Newman como uno de los pensadores cristianos más importantes del siglo XIX. Fue capaz de producir una serie de síntesis teológicas tan poderosas como originales: sus *Lectures on the Doctrine of Justification* (1838), su *Essay on the Development of Christian Doctrine* (1845), su *Essay in Aid of a Gram-mar of Assent* (1870), su *Letter to the Duke of Norfolk* (1875) y el extenso esbozo eclesiológico que constituye el prefacio al volumen I de la *Via Media* (1877). Tras la convocatoria del primer Concilio Vaticano por el papa Pío IX, fue invitado por varios obispos, tanto de su país como del extranjero, a ser su *peritus* o experto teológico en el Concilio;[1] el mismo Pío IX le ofreció el cargo de "consultor" en el Concilio,[2] y su

---

[1] Entre los más destacados estaba el obispo de Orleans, monseñor Dupanloup, a quien se consideraba líder del ala "liberal" entre los prelados.

[2] Carta del 14 de noviembre de 1868 a E. B. Pusey, en *Letters and Diaries of John Henry Newman* (en adelante *L&D*), vol. XIV, p. 171.

nombramiento como cardenal por León XIII fue en parte un reconocimiento y validación, al más alto nivel eclesial, de sus ideas.

Muchos papas del siglo XX han recalcado su importancia como teólogo. Por ejemplo, en 1964 Pablo VI declaró, en un telegrama enviado a los organizadores de un congreso sobre Newman que tuvo lugar en Luxemburgo, que "la claridad de sus reflexiones y su enseñanza arrojan una preciosa luz sobre los problemas actuales de la Iglesia".[3] En 1970, con ocasión de un nuevo congreso sobre Newman celebrado en la misma ciudad, declaró a Newman como "inspirado precursor" que "exploró con anticipación muchos de los caminos en que nuestros contemporáneos están profundamente comprometidos".[4] En 1975 se refirió a la influencia de Newman sobre el segundo Concilio Vaticano en los siguientes términos:

> Muchos de los problemas que trató con sabiduría, a pesar de que en su propio tiempo a menudo no se le comprendió y se le malinterpretó, fueron temas de estudio y discusión por parte de los padres del segundo Concilio Vaticano, como por ejemplo la cuestión del ecumenismo, la relación entre el cristianismo y el mundo, el énfasis sobre el papel de los laicos en la Iglesia y la relación de la Iglesia con las religiones no cristianas. No solamente en este concilio, sino también en la época presente, puede considerarse de manera especial como la hora de Newman.[5]

En abril de 1990, en una alocución dirigida a un simposio organizado para conmemorar el centenario de su muerte, Juan Pablo II se refirió a "la importancia de esta extraordinaria figura, muchas de cuyas ideas gozan de particular relevancia en nuestros días", así como a "la *unidad* entre teología y ciencia, entre *el mundo de la fe y el mundo de la razón*", que él defendió.[6] En su encíclica *Fides et ratio* (1998)

---

[3]   Citado en *L'Osservatore Romano* (edición en inglés), 4 de junio de 1970.
[4]   *Ibid.*
[5]   Citado por *L'Osservatore Romano* (edición en inglés),17 de abril de 1975.
[6]   En *John Henry Newman, Lover of Truth*, Roma, Pontificia Universitas Urbaniana, 1991, pp. 7, 9 (cursivas del autor).

colocó el nombre de Newman a la cabeza de una larga lista de "grandes teólogos cristianos" de siglos recientes "que también se distinguieron como grandes filósofos".[7] Por último, en una conferencia impartida durante el mismo simposio sobre Newman en Roma, en 1990, el entonces cardenal Ratzinger, el futuro papa Benedicto XVI, declaró que las dos enseñanzas de Newman, sobre la conciencia y el desarrollo doctrinal, constituyen "una decisiva contribución a la renovación de la teología", añadiendo que con su concepción del desarrollo doctrinal "nos dio la clave para construir el pensamiento histórico dentro de la teología, y mucho más que eso, nos enseñó a pensar históricamente en la teología, y así a reconocer la identidad de la fe en todos sus desarrollos".[8]

El rechazo de Newman al título de teólogo

No obstante, de manera resuelta y sistemática Newman rechazó el título de "teólogo". Por ejemplo, al escribir a Edward Pusey, un antiguo colega tractariano, luego de comentar diversos puntos de filosofía declaró: "Mas cuidado, no escribo como teólogo, pues no lo soy".[9] Al año siguiente repitió dicha advertencia en una carta al mismo corresponsal, al tratar sobre su decisión de no asistir al Concilio Vaticano: "No soy teólogo y solamente habría estado perdiendo mi tiempo en cuestiones que no comprendo".[10] Dos años después, en 1870, afirmó en una carta al dominico Reginald Buckler: "No tengo pretensiones como teólogo".[11] En 1871, en una carta a Henry James Coleridge, jesuita editor de *The Month*, en torno a su reseña de *Grammar of Assent*,

---

[7] *Fides et ratio*, núm. 74.
[8] "Newman gehört zu den grossen Lehrern der Kirche", en *John Henry Newman, Lover of Truth*, p. 144.
[9] Carta del 14 de noviembre de 1867, *L&D*, XXIII, 369.
[10] Carta del 14 de noviembre de 1868, *L&D*, XXIV, 171.
[11] Carta del 15 de abril de 1870, *L&D*, XXV, p. 100.

confesó su "ignorancia en teología y filosofía".[12] ¿Cómo hemos de interpretar estas negativas tan sistemáticas y enfáticas?

Pueden explicarse en parte, por supuesto, por el contexto inmediato, el de la inminencia y luego las consecuencias del primer Concilio Vaticano. Como ya se afirmó, a pesar de varias invitaciones, Newman se negó a asistir al concilio, dando como razón su edad (en 1870 iba a cumplir 69 años), su mala salud (a pesar de que aún había de vivir otros 20 años) y su falta de competencia en cuestiones teológicas. En realidad temía verse arrastrado hacia los agrios debates en torno a la cuestión de la infalibilidad papal, que todo el mundo sabía que iba a estar en el centro de los debates conciliares (aunque esto nunca fue afirmado explícitamente con antelación). Así, el negarse a ser calificado de "teólogo" fue, en parte, una estrategia diseñada para evitar involucrarse en una amarga controversia. Una segunda razón, bastante similar era el hecho de que Newman había sufrido mucho como católico a causa de los ataques por su ortodoxia. La novedad de las ideas que expresó en *Essay on Development* había dado lugar a una virulenta denuncia por un reciente converso estadounidense y autoproclamado teólogo, Orestes Brownson, y a reticiencias en ciertos sectores de Roma. En 1859 publicó en *The Rambler* un artículo intitulado "On Consulting the Faithful in Matters of Doctrine", el cual creó agitación e incluso fue delatado ante Roma por el obispo galés de Newport; el asunto fue tan mal conducido por el jefe de la jerarquía inglesa, que Newman nunca recibió una petición para ofrecer explicaciones, y durante casi ocho años su silencio fue interpretado en Roma como una negativa, orgullosa y obstinada, a justificarse. También sabía que era objeto de honda desconfianza por parte del arzobispo Manning, primado de la Iglesia católica en Inglaterra y Gales a partir de 1865, e incluso objeto de una abierta hostilidad por parte de católicos intransigentes agrupados en torno a este último (en una carta confidencial dirigida a su obispo, Ullathorne, quien estaba en Roma para el concilio, se refirió

---

[12]   Carta del 5 de febrero de 1871, *L&D*, XXV, p. 279.

a Manning y sus acólitos como "una facción agresiva e insolente").[13] En 1884, cinco años después de que León XIII lo nombrara cardenal, sus puntos de vista sobre la inspiración bíblica,[14] que más adelante fueron totalmente convalidados por la Constitución dogmática "Dei Verbum" sobre la divina revelación, hicieron que nuevamente varios autores de manuales de teología utilizados en seminarios católicos del mundo angloparlante tuvieran dudas sobre su ortodoxia.[15] De manera que negarse a ser considerado teólogo fue una táctica de defensa.

Hay una tercera razón que no es insignificante, basada en el hecho del cual Newman tenía dolorosa conciencia, de que nunca había recibido educación teológica formal. Si bien la Universidad de Oxford era, junto con la de Cambridge, el principal centro de formación del clero anglicano (el primer seminario anglicano se fundó en 1854, en Cuddesdon, a las afueras de Oxford), los cursos de teología (a diferencia de los estudios bíblicos) no eran obligatorios para los candidatos a la ordenación. De manera que Newman era prácticamente autodidacta en cuestiones de teología, ya que su pensamiento se formó principalmente a partir de intensas lecturas de los Padres de la Iglesia. (¡Algunos miembros más jóvenes del clero, conscientes de su falta de formación teológica, incluso buscaban que su primer nombramiento fuera en una parroquia con cargas de trabajo relativamente ligeras para así poder enfrascarse en estudios teológicos serios *después* de recibir la ordenación!)

---

[13] Carta del 28 de enero de 1870 a monseñor Bernard Ullathorne, *L&D*, XXV, p. 19.

[14] Véanse los artículos sobre la inspiración bíblica que Newman publicó póstumamente en 1884, en *Stray Essays* (1890).

[15] Véase mi artículo "Newman et la question de l'inspiration biblique", en *Newman et la Bible. Études Newmaniennes*, núm. 29, 2013, pp.143-164. De ninguna manera este fue el fin de la cuestión. El hecho de que ciertos teólogos y estudiosos de la Biblia considerados por Roma como "modernistas" invocaran la autoridad de Newman para fundamentar sus opiniones condujo a una extendida sospecha en torno a sus ideas por parte de los miembros de la jerarquía de la Iglesia. Si bien el papa Pío X explícitamente reconoció su ortodoxia (en una carta pastoral dirigida a un obispo irlandés), tal sospecha persistió en algunas áreas de la curia hasta las vísperas del segundo Concilio Vaticano.

Se podría agregar que a pesar de su notable capacidad para investigar y escribir con tesón cuando era necesario, el temperamento de Newman estaba lejos de la estructura mental de un teólogo académico. Como se sabe, la mayoría de sus obras son, en un sentido u otro, "ocasionales" (la expresión francesa *œuvres de circonstance* resulta más apropiada), escritas en respuesta a una necesidad inmediata: dotar al anglicanismo de una base teológica congruente (*The Prophetical Office of the Church, Lectures on Justification*), poner a prueba y defender su "teoría" del desarrollo (*Essay on Development*), responder a las acusaciones infundadas de su amigo Pusey sobre la devoción de los católicos a la virgen María (*Letter to Pusey*), y replicar al virulento ataque de Gladstone contra los católicos, quienes, según él, habían quedado reducidos al nivel de esclavos intelectuales del Papa a causa del dogma de la infalibilidad papal (*Letter to the Duke of Norfolk*). Además, nunca tenía tiempo para esa clase de trabajo y sus cartas están llenas de quejas en ese sentido. Con facilidad también olvidamos que cerca de la tercera parte de los libros que publicó en vida, 12 de al menos 40, contienen sermones. Si Newman fue un teólogo en cierto sentido, incluso a pesar de su renuencia a aceptarlo, también fue —quizá principalmente— un *pastor* y un *guía espiritual*.

Por último, hay probablemente una quinta razón para que Newman rechazara el término "teólogo", por el sentido en que se solía comprender en su época. La neoescolástica que dominó la filosofía y la teología católicas a lo largo del siglo XIX y los primeros años del XX era esencialmente *conceptual*. La teología católica había perdido el contacto con sus raíces bíblicas, era profundamente ahistórica y, lo más importante, se había separado del ámbito de la experiencia espiritual. Por estos y otros posibles motivos, Newman, a pesar de hacer su mejor esfuerzo, nunca se sintió cómodo con las categorías de pensamiento de esta neoescolástica.

Una breve nota histórica podría ser útil en este momento, pues ayuda a resaltar la brecha que separaba al pensamiento de Newman del de sus contemporáneos. En el siglo XVI, el teólogo luterano Philip

Melanchton inició un debate sobre el tema de los *loci theologici*, esto es, sobre las fuentes autorizadas de la teología, y la respuesta católica fue formulada por un teólogo dominico, el español Melchor Cano, quien publicó su *De locis theologici* en 1563. Cano distinguió siete *loci*: la Sagrada Escritura, la tradición apostólica, las enseñanzas de la Iglesia universal, las deliberaciones de los concilios de la Iglesia, los pronunciamientos de los papas y del magisterio, los Padres de la Iglesia, y la obra de teólogos y canonistas. En esta lista brilla por su ausencia la experiencia espiritual individual (como quiera que se defina dicho término), como lo atestiguan multitud de místicos cristianos a lo largo de más de un milenio y medio. Es sorprendente la brecha existente entre la concepción fundamentalmente intelectualista de Cano (y de la Iglesia católica posterior), por un lado, y los puntos de vista de Newman por el otro. Ello se percibe claramente (entre otros ejemplos) en las siguientes dos afirmaciones que aparecen en la *Apologia*, que Cano hubiera juzgado *a priori* como inválidas:

[El] ser de un Dios [...] es tan cierto para mí como la certidumbre de mi propia experiencia, pero cuando trato de dar fundamentos de forma lógica a dicha certeza, me resulta muy difícil hacerlo en modo y figura a mi satisfacción [...]. Si no fuera por esta voz, que habla tan claramente en mi conciencia y en mi corazón, yo sería ateo, panteísta o politeísta, después de pasar la mirada por el mundo.[16]

Soy católico en virtud de que creo en un Dios; y si se me pregunta por qué creo en un Dios, respondo que es porque creo en mí mismo, pues me parece imposible creer en mi propia existencia (y estoy bastante seguro de ese hecho) sin creer también en la existencia de Él, que vive como un Ser Personal, que todo lo ve y todo lo juzga en mi conciencia.[17]

---

[16] *Apologia pro vita sua*, Longmans, 241. En adelante *Apologia*, seguido del número de páginas. A menos de indicación en contrario, las citas de las obras de Newman provienen de la edición uniforme publicada por Longmans, Green & Co., y reimpresas en varias ocasiones por numerosos editores.

[17] *Apologia*, 198.

Por supuesto, la manera en que comprendemos la teología en el siglo XXI es profundamente distinta de la neoescolástica del tiempo de Newman. El siglo XX fue testigo de un retorno en masa a las raíces bíblicas de la teología, así como de un lento pero progresivo reconocimiento de la realidad de la historia. La teología moral también experimentó una profunda transformación, pasando de un sistema de casuística, que dividía a los pecados en varias "categorías", a un enfoque más global y personalista. ¿Cuál es entonces el vínculo entre teología y espiritualidad? En el caso de Newman se ha estudiado muy poco esta pregunta, a pesar de que, por lo menos de manera implícita, está en el mismo núcleo de su pensamiento y sus enseñanzas.

En consecuencia, la pregunta que verdaderamente se debe hacer no es si "Newman fue un teólogo", sino más bien "la clase de teólogo que fue Newman". La respuesta a esta pregunta se centra sobre todo en la relación que hacía entre la teología, por un lado, y la espiritualidad, junto con la moral o la ética, por el otro.

La influencia de los Padres de la Iglesia

La influencia de los Padres de la Iglesia es decisiva a este respecto. De acuerdo con Newman, ellos fueron los responsables de que abrazara el catolicismo. En *Difficulties Felt by Anglicans*, unas conferencias de 1850, declaró que "los escritos de los Padres" constituyeron "simple y llanamente la única causa intelectual de su renuncia a la religión en la que había nacido para someterse [a la Iglesia católica]", y que "se adhirió a la Iglesia católica simplemente porque creía que esa Iglesia, y ninguna otra, era la Iglesia de los Padres.[18] En su carta a Pusey de 1866 repite esa afirmación con estas palabras: "Los Padres me hicieron católico, y no voy a derribar la escalera por la cual ascendí a la

---

[18] *Certain Difficulties Felt by Anglicans in Catholic Teaching*, I, p. 367. Por supuesto, Newman habla de sí en tercera persona.

Iglesia".[19] El monto de la deuda que sentía deber a los Padres también se expresa en las "Observaciones introductorias" a la misma obra, donde declara que en la Iglesia anglicana, "recuerdo bien que me veía a mí mismo como un exiliado, cuando tomaba de los libreros de mi biblioteca los volúmenes de san Atanasio o san Basilio y me ponía a estudiarlos; y cómo, por el contrario, cuando por fin entré de lleno a la comunión católica, los besaba con deleite, sintiendo que en ellos había más que todo lo que había perdido, y hablando a las páginas de los libros como si me dirigiera a los santos que las entregaron a la Iglesia les decía: 'Ahora yo soy suyo y ustedes míos, fuera de todo error'".[20] Por supuesto, tales afirmaciones conllevan cierta intención apologética, pues Newman deseaba justificar el haber abrazado el catolicismo; sin embargo, no se puede negar que los Padres influyeron grandemente sobre él, cuando era anglicano y cuando fue católico.

¿Cuál fue la naturaleza exacta de esta influencia? De los Padres, Newman tomó cierto número de temas; sin embargo, aquello que encontró y de lo cual se apropió en gran medida fue un cierto modo de comprender la relación entre teología, espiritualidad y moral; pues los Padres se negaron a *separar* estos tres ámbitos (como, siglos más tarde, volvería a suceder con consecuencias desastrosas). Resulta significativo que en la carta a Pusey haya mencionado los nombres de Atanasio y de Basilio, pues ambos fueron figuras principales en el desarrollo de la teología dogmática, ya que Atanasio, entre otras obras, creó un tratado *Sobre la encarnación* y Basilio fue autor de un tratado *Sobre el Espíritu Santo*, y ambos intentaron captar y explicar las implicaciones *espirituales* de estas doctrinas.

Esto se puede ilustrar pasando revista al cambio de significado de las palabras "teología" y "espiritualidad". Hoy teología se refiere a los conocimientos acerca de Dios y es el estudio o "ciencia" de Dios, así como, por ejemplo, la geología es el conocimiento o ciencia de la

---

[19] *Certain Difficulties Felt by Anglicans*, II, p. 24.
[20] *Certain Difficulties Felt by Anglicans*, II, p. 3.

Tierra (del griego *gè*) o la psicología es el conocimiento o ciencia de la mente humana (del griego *psuchè*). El teólogo se empeña en que estos conocimientos sean tan completos, sistemáticos y racionales como sea posible, por lo cual la palabra designa una actividad esencialmente intelectual, que implica conocimientos *sobre* o *acerca* de Dios, más que el "conocimiento" directo y experiencial (como lo refiere san Pablo en un pasaje de la Epístola a los Filipenses).[21] Sin embargo, este sentido moderno de la palabra sólo surgió gradualmente desde mediados del siglo XII en adelante, comenzando con Abelardo. Para los Padres de la Iglesia y la tradición medieval hasta ese momento, el "teólogo" era ante todo uno que *buscaba* a Dios por medio de la lectura meditada y orante de la Escritura o simplemente en la oración. Así, san Gregorio Niceno, en su *Vida de Moisés* del siglo IV, afirma que la verdadera "teología" está en la "contemplación" de Dios.[22] En el siglo V, Diadoco, antiguo monje obispo de Fótice, un lugar al norte de Grecia, identificó la mente "teológica" con la "contemplativa", expresando así la extendida opinión de que solamente después de haber adquirido experiencia de Dios el "teólogo" puede disertar sobre Él.[23] Y, por supuesto, está la célebre fórmula de Evagrio Póntico, uno de los más intelectuales Padres del Desierto: "Si eres teólogo, harás verdadera oración y, si haces verdadera oración, serás teólogo".[24] Así pues, en el sentido patrístico, la teología no es tanto conocimiento *sobre* Dios sino conocimiento *de*

---

[21] Cfr. Fil 3, 8-10: "Más aún, todo lo considero al presente como peso muerto en comparación con eso tan extraordinario que es conocer a Cristo Jesús, mi Señor [...]. Quiero conocerlo, quiero probar el poder de su resurrección y tener parte en sus sufrimientos; y siendo semejante a él en su muerte [...] (La Biblia latinoamericana) Curiosamente, la lengua inglesa carece de una palabra para distinguir entre estas dos formas de "conocimiento", a diferencia del francés o el alemán, que tienen dos palabras: *savoir/connaître* y *wissen/kennen* respectivamente. Esta debilidad relativa del inglés a menudo es fuente de considerable confusión.

[22] En griego, *theoria*, otro ejemplo de una palabra que ha sido "intelectualizada".

[23] Cit. A. Solignac, S.J., entrada "Théologie", *Dictionnaire de spiritualité ascétique et mystique*, París Beauchesne, vol. 15/1 (1990), col. 470.

[24] *Traité de l'oraison*, cit. A. Solignac, S. J., entrada "Prière", *Dictionnaire de spiritualité*, vol. 12/3 (1986), col. 2259.

Dios por medio de la comunión y la unión con Él, conocerle al "ser conocido".[25]

Por tanto, la "teología" estaba íntimamente vinculada y, en cierto modo, particularmente diseñada para lo que hoy llamaríamos conocimiento o experiencia espiritual. En lo que respecta a la palabra "espiritual" (el sustantivo "espiritualidad" es un derivado relativamente reciente del adjetivo), aquí la consideraremos en el sentido estrictamente etimológico y tradicional, como se encuentra en las epístolas de san Pablo y en los Padres de la Iglesia.[26] "Espiritual" es la palabra que, teniendo origen en el latín *spiritualis* (o *spiritalis*), se traduce al griego *pneumatikos*. La palabra existe en el griego clásico con un significado relativamente débil: designa el aliento y a veces el viento, pero como sucede con otros términos, el cristianismo cambió radicalmente su significado. La primera carta de san Pablo a los Corintios contiene un pasaje (1 Cor 2, 10-3, 3) que es una de las piedras angulares de la espiritualidad cristiana, en el cual el autor expresa una concepción de la persona cristiana como compuesta por tres dimensiones designadas respectivamente por los términos *sarkikos*, *psuchikos* y *pneumatikos*. El primer término suele traducirse como "carnal"; el segundo como "natural" y el tercero se traduce comúnmente como

---

[25] A. Louth, artículo sobre Dionisio Areopagita en *The Study of Spirituality*, Cheslyn Jones, Geoffrey Wainwright y Edward Yarnold (eds.), Londres, SPCK, 1986, p. 187 (cursivas del autor). Las palabras de la cita se refieren a san Pablo en 1 Cor 13, 12: "Entonces conoceré a Dios como soy conocido por Él".

[26] Estos dos términos se han hecho populares en años recientes y se les otorgan multitud de significados divergentes, situación que hace pensar en la declaración tan socorrida de Humpty Dumpty en el libro de Lewis Carroll. *A través del espejo*: "Cuando *yo* uso una palabra, quiere decir exactamente lo que yo quiero que signifique. ¡Ni más ni menos!". Se refieren a todo, desde "el sentir bonito" de la religión por medio de nebulosas prácticas de la nueva era, como comulgar con la naturaleza abrazando árboles, hasta el sustituto (preferido) de las palabras "religioso" y "religión". Muchas personas afirman que "son espirituales, pero no religiosas". Los autores de la Carta de la Unión Europea se negaron a mencionar la tradición cristiana o religiosa de Europa, pero con suma alegría se refirieron a su herencia "espiritual". Además, algunos filósofos franceses afirman que puede haber una espiritualidad "secular" o "atea", basando su afirmación en una etimología completamente falsa, pues dicen que la palabra "espiritual" proviene del griego *psuchikos*.

"espiritual", haciendo clara referencia al Espíritu de Dios o Espíritu Santo. A partir de san Pablo, el sentido del término *pneumatikos* (y por tanto de *spiritualis* y "espiritual"), cuando se aplica a la experiencia humana,[27] es una *constante* en la mayor parte de la historia del cristianismo: la palaba se refiere a la presencia y obra del Espíritu Santo o, por medio de éste, de Cristo que habita en el "corazón" o el alma del cristiano. De esta manera, Basilio de Cesarea, en su tratado *Sobre el Espíritu Santo*, explica que "aquel que ya no vive según la carne sino bajo la guía del Espíritu de Dios [...] recibe el nombre de 'espiritual' (*pneumatikos*)".[28] Trece siglos más tarde, Pierre de Bérulle, fundador del Oratorio francés y fuente principal de "la escuela francesa de espiritualidad" —siguiendo a san Pablo que declara en Gal 2, 20: "Ya no vivo yo, sino que es Cristo quien vive en mí"—, define la "vida espiritual" como "la vida de Jesucristo" en nosotros, declarando que "el sumo grado de una vida espiritual perfecta" consiste en "permitir que Jesucristo invada y habite nuestras almas".[29] Su discípulo, Jean-Jacques Olier, fundador de la Compañía San Sulpicio, dedicada a la formación del clero, abre el *Catéchisme chrétien de la vie intérieure* con una lección que define al cristiano como "aquel que lleva en sí el Espíritu de Jesucristo".[30]

Tenemos pues que teología y espiritualidad, en el sentido moderno de las palabras, son inseparables en el pensamiento de los Padres.

---

[27] Por supuesto, hay otros significados de acuerdo con el contexto, por ejemplo, el poder "espiritual" de la Iglesia, como lo contrario de su poder "temporal" o los bienes "espirituales" como lo opuesto de los bienes "terrenales", etcétera.

[28] *Sur le Saint Esprit*, vol. XXVI, pp. 61-64, París, Éditions du Cerf, Sources chrétiennes, núm. 17 bis, 1968, p. 467.

[29] *Conférences* (1611-1615) en *Œuvres complètes*, París, Éditions du Cerf & Oratoire de France, vol. I, 1995, p. 184. Cfr. la obra del jesuita J.-B. Saint-Jure, *L'Homme spirituel*, París, 1646, que contiene la siguiente definición: "El hombre espiritual no es otro que el cristiano excelente, quien posee en mayor abundancia que los demás, y de manera más profunda, el Espíritu de Jesucristo".

[30] *Catéchisme chrétien de la vie intérieure* (1656), París, Le Rameau, 1954, p. 11. Por supuesto, la definición de Olier está inspirada en san Pablo: "Aquel que no tiene el espíritu de Cristo no pertenece a Cristo" (Rom 8, 9).

Asimismo, son inseparables de un tercer factor, el de la moralidad o la ética: la búsqueda de la verdad teológica, en forma del "conocimiento" interior de Dios y en forma también de conocimiento *sobre* Dios, presupone y exige un trabajo de purificación interior y "adiestramiento" espiritual.[31] De acuerdo con Aimé Solignac, historiador de la espiritualidad, hasta mediados del siglo XII, e incluso durante la mayor parte del XIII, *theologia* se refiere directamente al *conocimiento* de Dios, y este conocimiento, para ser auténtico, siempre conlleva una actitud del espíritu, por lo menos en los textos cristianos. [...] Desde los Padres hasta el siglo XIII, *theologia* se vincula a la vida espiritual (incluso para Abelardo, en cierta medida). Siempre se refiere a una manera de "conocer a Dios" y de "hablar de Dios". En consecuencia, presupone y fomenta al mismo tiempo la humilde sumisión del entendimiento humano ante los divinos misterios, la apertura del corazón y la voluntad a la salvación y a la santificación, promesas del Antiguo Testamento que se cumplen en el Nuevo Testamento.[32]

San Atanasio de Alejandría declara que el hombre que "pretenda comprender el pensamiento de los 'teólogos' debe primero purificar su manera de vivir".[33] Para Diadoco de Fótice, el "carisma de la teolo-

---

[31] Tal era el significado original que el vocabulario cristiano asignaba a *askèsis*, de donde provienen "ascético" y "ascetismo". Fue tomada de los "ejercicios" o "adiestramientos" de soldados y atletas, dos realidades omnipresentes en el mundo grecorromano, y su significado se "interiorizó". El término "ejercicios espirituales" está lejos de limitarse a la obra de san Ignacio de Loyola, pues es un término genérico en la historia de la espiritualidad cristiana.

[32] Entrada "Théologie", *Dictionnaire de spiritualité*, vol. 15/1, col. 463-464, 481. Cursivas del autor. Santo Tomás de Aquino brinda un ejemplo interesante que viene al caso. Según el dominico Yves Congar, santo Tomás no usó el término "teología" en el título de la *Summa theologiae*, sino que fueron sus alumnos y discípulos quienes le dieron título, al copiar y hacer circular su obra tras la muerte del aquinate. Para hablar de "teología", santo Tomás decía *sacra doctrina*; Congar escribe: "*theologia* se encuentra tan sólo tres veces en el texto original [...] mientras que *sacra doctrina* aparece cerca de 80 veces: más aún, *theologia* no aparece en el sentido moderno, sino en el sentido etimológico de reflexión o discurso sobre Dios" (Entrada Théologie, *Dictionnaire de Théologie catholique*, París, Beauchesne, vol. 1 (1950), col. 346).

[33] Cit. A. S. J., Solignac, entrada Théologie, *Dictionnaire de spiritualité*, vol. 15/1, col. 467.

gía" exige una preparación espiritual que implica abandonar todos los bienes en aras del reino.[34] Atanasio, Agustín y otros a quienes Newman siguió emplean la metáfora de los ojos que si han de "ver" a Dios, han de ser limpiados de polvo y arenilla. Muchos Padres invocan en este sentido la sexta de las bienaventuranzas: "Dichosos los limpios de corazón, porque ellos verán a Dios" (Mt 5, 8), entendiendo la palabra "puro" en el sentido de simple, indiviso y no mezclado, como en la frase moderna "químicamente puro".[35] Agustín emplea la deliciosa imagen de la casa que se ha de limpiar y ordenar: "Si anunciara mi visita, te darías prisa por limpiar y ordenar tu casa. Siendo Dios quien quiere morar en tu corazón, ¡no te das prisa a prepararle un lugar!"[36]

Sin embargo, a partir del siglo XIV el cristianismo de Occidente, con relativamente pocas excepciones, en contraste con las Iglesias orientales y ortodoxas, se caracteriza por perder gradualmente esta perspectiva unificada. La teología "escolástica", es decir, la de las "escuelas" o "universidades" llegó a ser crecientemente más conceptual y abstracta, y sus participantes tendieron a considerar a los autores espirituales como intelectualmente inferiores. Esta animosidad fue correspondida por numerosos autores espirituales: el autor de la *Imitación de Cristo*, el clásico de la espiritual del medievo tardío, a su vez expresa un claro desprecio por los "teólogos". La teología se separó cada vez más de la espiritualidad, mientras que la espiritualidad careció gradualmente de bases teológicas. Al mismo tiempo, la moral se consideró cada vez menos como un "entrenamiento" espiritual destinado a hacer que la persona fuera más "capaz" de recibir a Dios en el

---

[34] *Ibid.*, col. 470.
[35] Conviene mencionar también la etimología de la palabra "monje", que designa una importante realidad de la Iglesia a partir del siglo IV. El griego *monachos* proviene del adjetivo *monos*, que en el vocabulario cristiano primitivo no quería decir "solo" o "solitario", sino "uno", por tanto monje o monja es aquel que lucha por sobreponerse a sus divisiones interiores y unificar su personalidad para ser "uno" y así unirse a Dios. Un tema común en los sermones de Newman es que estamos divididos por dentro y es preciso sobreponernos a ello.
[36] San Agustín, *Sermón* 261.

alma, y más en términos de una obediencia a mandamientos y leyes ordenadas por un Dios que se estaba haciendo sobre todo "externo". Si bien éstas son vastas generalizaciones, son ciertas de forma global.

Fue entonces que a partir de la segunda mitad del siglo XVII la concepción patrística de la vida "espiritual", considerada como la "inhabitación" de Cristo en el alma individual, se desvaneció gradualmente. Esto formaba parte de una revolución cultural más amplia, conforme la cultura occidental y su perspectiva sobre la humanidad se fueron intelectualizando progresivamente. La persona humana llegó a ser concebida como "animal *pensante*" (la célebre fórmula de Descartes, "pienso, luego existo", puede considerarse como síntoma de este proceso). En correspondencia, se llegó a definir al cristiano cada vez más en términos de adhesión a ciertas "creencias", y el cristianismo mismo llegó a ser progresivamente un asunto de "dogmas" y "valores" morales (a menudo reducido a una mera formalidad moralizante). Sólo en el siglo XX los cristianos en conjunto llegaron a ser conscientes de la dimensión espiritual de su religión, pero incluso entonces, de manera parcial y fragmentaria.

¿Dónde ubicar a Newman con respecto a estas cuestiones?

Sería un grave error afirmar que Newman usó el término "teología" en el sentido de los Padres de la Iglesia. No obstante, su pensamiento estaba tan profundamente impregnado por el de ellos y tan plenamente lo había asimilado, que era imposible que no se percatase del significado primitivo del término y de sus asociaciones. Más importante todavía es que comparte implícitamente la visión patrística de una *relación* necesaria entre tres ámbitos, la reflexión teológica, la vida espiritual y la experiencia y la vida moral, como lo declara en *Essay on Development*, diciendo que "el cristianismo es dogmático, devocional [espiritual] y práctico [ético] al mismo tiempo".[37] Estaba cierto de cuán necesaria era una teología que estuviera al servicio de nuestra vida espiritual; de una espiritualidad con sólidos cimientos teológicos, así como de un sistema ético concebido como una forma de entrenamiento espiritual o purificación interior (en el sermón intitulado "Obedience the Remedy for Religious Perplexity" se refiere explícitamente a la necesidad de "adiestrar nuestros corazones" en lo que llama la "plenitud del espíritu cristiano", esto es, la apertura hacia Dios).[38] Si a ciertos críticos les parece que está obsesionado con rastrear "herejías",[39] es porque se percata con agudeza de que la manera en que pensamos sobre Dios influye e incluso determina nuestra manera de buscarlo y de orar, o en nuestra incapacidad o desgana para hacerlo. Hay teologías que nos invitan a profundizar en nuestra vida espiritual; otras conducen a una concepción distorsionada de lo verdaderamente espiritual; mientras que otras constituyen un impedimento para el desarrollo de una verdadera vida espiritual, al reducir el cristianismo a un mero catálogo de dogmas y normas morales.

Más aún, en este modo de pensar se puede ver una característica general de la mente de Newman. En el prefacio a *The Idea of a University*, atribuye a la educación universitaria el propósito de inculcar en los alumnos "una visión o comprensión conectada de las cosas".[40] El discurso VI de la misma obra retoma la idea: "Un intelecto verdaderamente grande es aquel que puede vincular lo antiguo y lo nuevo, lo pasado y lo presente, lo lejano y lo cercano, y que puede penetrar en la manera en que influyen uno sobre otro. [...] Posee un conocimiento, no sólo de las cosas, sino también de sus relaciones mutuas y verdaderas".[41] Newman mismo es ejemplo de estas palabras, pues busca constantemente las "conexiones" entre los fenómenos y las ideas.

---

[37] *An Essay on the Development of Christian Doctrine*, vol. I, núms, 1, 3, p. 36.
[38] *Parochial and Plain Sermons* [en adelante *PPS*], vol. I, núm. 18, p. 233.
[39] Cfr. S. Thomas, *Newman and Heresy. The Anglican Years*, Cambridge, Cambridge University Press, 1991.
[40] *The Idea of a University*, XVII.
[41] *Ibid.*, p. 134.

En las páginas siguientes se mostrará esta manera de pensar, principalmente en el contexto de sus sermones parroquiales, de sus *Oxford University Sermons* y de la *Grammar of Assent*.

Ejemplos de la relación entre teología, espiritualidad y moral en los sermones de Newman

Para examinar este tema en profundidad haría falta un libro entero,[42] por ello nos limitaremos a unos cuantos ejemplos a modo de ilustración. Los sermones anglicanos de Newman se caracterizan por rezumar una profunda espiritualidad, lo cual a menudo ha sido objeto de comentarios. No obstante, esta espiritualidad siempre tiene un sólido fundamento teológico (además de bíblico). Incluso se ha argumentado que los sermones de Newman, así como los de sus colegas tractarianos, como Edward Pusey e Isaac Williams, expresan la convicción de que "la teología está enraizada en la espiritualidad y el culto",[43] siendo un ejemplo de ello su adhesión a la doctrina patrística de la "inhabitación" del Espíritu Santo, que se encuentra en el centro del movimiento tractariano. En todo caso, ambas son inseparables.

Así, nos encontramos con un vasto número de sermones que exploran las implicaciones espirituales de la doctrina de la Trinidad. Desde el punto de vista espiritual, la Trinidad propone a Dios en términos de la *comunicación* de la vida divina, lo cual, en palabras de 2 Pedro 1, 4, citado en múltiples ocasiones por Newman, nos hace "partícipes de la naturaleza divina". Esta comunicación procede *del* Padre (la fuente), *por medio* del Hijo, y *en* o *por* el Espíritu Santo. Dios no es meramente externo a nosotros, sino que está, o más bien puede estar, *dentro de* nosotros, como presencia espiritual viva y transforma-

---

[42] Es lo que intenté en *Dieu intérieur. La théologie spirituelle de John Henry Newman*, París, Ad Solem, 2014.
[43] Cfr. R. D. Townsend, "The Catholic Revival in the Church of England", en *The Study of Spirituality*, p. 468.

dora. Si de manera consistente Newman manifiesta hostilidad hacia todas las formas de cristianismo que, como el unitarianismo, niegan la Trinidad y, en consecuencia, la divinidad de Cristo, se debe a que no hacen sino reducir el cristianismo a un mero código moral, vacío de dimensiones espirituales.

La Encarnación también constituye un tema recurrente, que figura en el título de numerosos sermones, tanto anglicanos como católicos.[44] Newman enfatiza la *kénosis* o autovaciamiento del Hijo de Dios al hacerse hombre. Pero también ve en la Encarnación la apertura de un "canal" de comunicación que conduce a una radical transformación de nuestro ser. Como lo expresa san Atanasio (quizás el autor predilecto de Newman entre los Padres de la Iglesia) en una fórmula que más tarde retomó el cristianismo oriental y ortodoxo, el Hijo de Dios "se hizo hombre para que el hombre se hiciera Dios".[45]

Sus reflexiones sobre la Encarnación están íntimamente conectadas con la doctrina de la inhabitación del Espíritu Santo. Numerosos sermones contienen elocuentes expresiones en torno al tema:

> Como ya lo dije, el Espíritu Santo habita como en un templo, en el cuerpo y en el alma. [...] Nos cubre (si así se puede decir) como cubre la luz a un edificio, o como un dulce perfume los pliegues de un manto honorable; por eso, en el lenguaje de la Escritura se dice que nosotros estamos en Él y Él en nosotros. [...] En el poderoso lenguaje de san Pedro se convierte en "partícipe de la Naturaleza Divina" y tiene "poder" o autoridad, como dice san Juan, "para llegar a ser hijo de Dios". O bien, usando las palabras de san Pablo, "es una nueva creación; lo antiguo pasó y ahora todas las cosas se hacen nuevas".[46]

---

[44] "The Incarnation", *PPS* II, 3; "The Humiliation of the Eternal Son", *PPS* III, 12; "Christ, the Son of God Made Man", *PPS* VI, 5; "The Incarnate Son, a Sufferer and Sacrifice", *PPS* VI, 6; "The Mystery of Divine Condescension", *Discourses Addressed to Mixed Congregations*, núm. 14.

[45] *De Incarnatione*, citado en *The Study of Spirituality*, pp. 161-162.

[46] "The Indwelling Spirit", *PPS* II, 19, pp. 222-223.

Esta inhabitación del Espíritu Santo es también la de Cristo mismo:

> Por medio del Espíritu Santo estamos en comunión con el Padre y el Hijo. [...] El Espíritu Santo es causa de aquello que la fe acoge, la inhabitación de Cristo en el corazón. Así pues, el Espíritu no ocupa el lugar de Cristo en el corazón, sino que asegura que ése sea el lugar de Cristo. Por tanto, el Espíritu Santo promete venir a nosotros para que con su venida Cristo venga a nosotros, no carnalmente o visiblemente, sino que entre en nosotros. Entonces Él está tan presente como ausente; ausente en tanto que dejó la tierra, presente en tanto que no ha dejado el alma fiel.[47]

Ésta no es una doctrina etérea o de otro mundo. Newman propone una espiritualidad para gente que vive *en* el mundo y que busca la "perfección" en las actividades cotidianas. De esta manera, el cristiano llegará a "ver que Cristo se revela en su alma en medio de las actividades ordinarias del día, como por una especie de sacramento".[48] De acuerdo con Newman, la doctrina de la inhabitación del Espíritu Santo conduce *tanto* a una actitud de contemplación *como* al servicio activo de Dios, uniendo las vidas "contemplativa" y "activa".

> Así pues, en esto consiste nuestra tarea, primero en contemplar al Dios todopoderoso, así como en el cielo, en nuestro corazón y nuestra alma; y después, mientras lo contemplamos, en actuar hacia y por Él en los quehaceres cotidianos; en ver por la fe su gloria, dentro y fuera de nosotros, y en reconocerle por nuestra obediencia. Entonces uniremos los conceptos más elevados sobre Su majestad y bondad hacia nosotros, con el servicio más humilde, minucioso y discreto hacia Él.[49]

Newman también reflexiona con amplitud sobre la cuestión teológica fundamental de la naturaleza de la salvación, poniendo un énfasis particular sobre sus implicaciones espirituales. Todos estamos de acuerdo hoy en que es Cristo quien nos salva. ¿En qué consiste empero la "salvación"? ¿Cómo exactamente es que Cristo nos salva? ¿Se

---

[47] "The Spiritual Presence of Christ in the Church", *PPS* VI, 10, pp. 126-127.
[48] "Doing Glory to God in Pursuits of the World", *PPS* VIII, 11, p. 165.
[49] "The Gift of the Spirit", *PPS* III, 18, pp. 269-270.

trata de una acción pasada —su muerte expiatoria en la cruz— o nos salva aquí y ahora, por la acción presente del Espíritu Santo? Éstas y otras preguntas en torno a la naturaleza de la salvación tienen profundas implicaciones para nuestra vida espiritual. Para Newman, que no minimiza en absoluto el sacrificio de la muerte de Cristo en la cruz, la salvación es un acontecimiento del *presente* para todos nosotros o, mejor dicho, es un *proceso*, que consiste en *recibir* el Espíritu de Cristo y en *permitir* que ese Espíritu nos transforme en lo que Él mismo era. Por tanto, la salvación implica la comunicación y la recepción de la vida misma de Cristo. Así lo declara en *Lectures on Justification* de 1838:

> Cristo, el bien amado y todopoderoso Hijo de Dios, es poseído por cada cristiano en calidad de Salvador con todo lo que ese título significa, y se convierte para nosotros en justicia; y tanto al convertirse como después comunica la medida, la siempre creciente medida, de lo que Él es en sí mismo. [...] Gradualmente y a la larga nos hace ser, en nuestra persona, lo que Él ha sido en su persona desde toda la eternidad, lo que es desde nuestro Bautismo para con nosotros, justo.[50]

En un sermón que predicó dos años después ("Righteousness Not of Us, But in Us"), vuelve sobre este tema, enfatizando que no somos ni podemos ser los autores de nuestra salvación pero que, no obstante, la salvación acontece *dentro* de todos y cada uno de nosotros:

> El Espíritu vino a culminar en nosotros lo que Cristo culminó en Él, pero dejó sin terminar en nosotros. Así como su misión demuestra, por un lado, que la salvación no procede de nosotros mismos, también demuestra, por otro, que debe forjarse en nosotros. Como una luz en una habitación lanza sus rayos en todas direcciones, así la presencia del Espíritu Santo nos imbuye de vida, fuerza, santidad, amor, docilidad y virtud.[51]

Todos estos temas se vinculan de cerca con otro tema recurrente, el del "misterio", que implica, entre otras cosas, nuestra capacidad

---

[50]   *Lectures on the Doctrine of Justification*, p. 104.
[51]   *PPS* V, 10, p. 138.

(o incapacidad) para "conocer" a Dios.[52] A partir de finales del siglo XVII los opositores al cristianismo atacaron este concepto de misterio en nombre de la "razón".[53] Las doctrinas que recibieron los ataques más fuertes fueron las de la Trinidad, la Encarnación y la Resurrección de Cristo, al ser declaradas como "no razonables" o irracionales. La consecuencia fue que el cristianismo se redujo a un mero conjunto de ideas claras y explicables (que entonces podían ser debatidas y más fácilmente refutadas) y de principios morales. Esta postura "intelectualista" del cristianismo también se encontraba en algunos de sus defensores de finales del siglo XVIII, a quienes Newman criticó fuertemente, como William Paley, quien en *Evidences of Christianity* (1794) pretendió demostrar la verdad de la religión recurriendo a la arqueología, la geología y el "cumplimiento" de las profecías bíblicas; situándose el autor, sin saberlo, según Newman, en el mismo terreno intelectual que sus oponentes. Newman rechaza categóricamente esta reducción del cristianismo. Al reconocer, como lo hace Newman, que la religión contiene "misterios" y al ver a Dios mismo como "Misterio", se rechaza un cristianismo totalmente intelectualizado (que fácilmente puede convertirse en causa de orgullo intelectual, por la pretensión de "conocerlo" y "entenderlo" todo).[54] A lo largo de toda la historia de la espiritualidad cristiana, este mismo reconocimiento ha ido siempre de la mano con una actitud de humildad y de "receptividad": al reconocer a Dios como "Misterio", uno se abre a la posibilidad de una relación viva con Él, que tiene lugar en la profundidad más secreta

---

[52] Diversos sermones tanto anglicanos como católicos expresan esta idea: "The Christian Mysteries", *PPS* I, 16; "Mysteries in Religion", *PPS* II, 18; "The Mysteriousness of Our Present Being", *PPS* IV, 19; "The Mystery of Godliness", *PPS* V,7; "The Mystery of the Holy Trinity", *PPS* VI, 24; "Mysteries of Nature and Grace" (*Discourses Addressed to Mixed Congregations*, núm. 13); "The Mystery of Divine Condescension" (*ibid.*, núm. 14).

[53] Uno de los primeros y más virulentos de estos ataques fue el de John Toland en *Christianity Not Mysterious or, A Treatise Shewing That There is nothing in the Gospel Contrary to Reason, Nor Above it: And that no Christian Doctrine can be properly called a Mystery,* Londres, 1696.

[54] "Comprender" proviene del latín *cumprehendere*, cuyo sentido literal es "coger", "agarrar", "tomar".

de nuestro ser o, usando palabras de Bérulle, uno "permite que el Misterio le penetre".

Toda teología presupone una cierta antropología o concepción del hombre, y descansa sobre ella. De ahí que los pensadores cristianos de todas las épocas hayan ponderado qué nos permite entrar en relación con Dios, así como acerca de la naturaleza de tal relación. En uno de sus sermones anglicanos, "The Thought of God, the Stay of the Soul",[55] Newman parafrasea las célebres palabras de san Agustín con que comienzan sus *Confesiones*: "Nos hiciste para ti, Señor, y nuestro corazón está inquieto hasta descansar en ti".[56] Si bien no utiliza la fórmula patrística *homo capax Dei*, la idea de que somos "capaces" de recibir en nosotros la presencia de Dios es un tema recurrente, como contraparte de la doctrina de la "inhabitación" del Espíritu Santo.

Otro tema teológico relacionado es el de la relación entre naturaleza y gracia. Newman se apropia del antiguo adagio escolástico *gratia perfecit naturam*. Si bien insiste sobre la omnipresencia del pecado, también afirma que, en la lucha entre naturaleza y gracia, siempre triunfa la gracia sobre la naturaleza, pero no la destruye, al contrario, la transforma desde dentro. Por medio de la inhabitación del Espíritu Santo nos transformamos por gracia en aquello que Cristo es por naturaleza. Aunque el lenguaje de sus sermones católicos es a menudo ligeramente distinto, las ideas básicas permanecen. De hecho, la palabra "gracia" figura en el título de cuatro de los 18 sermones de su primer volumen católico.[57] Y si bien estos sermones enfatizan los horrores del pecado, muchos de ellos constituyen un verdadero himno de alabanza al poder transformador de la gracia divina.

La conciencia es un concepto clave de la teología moral. La doctrina de Newman sobre la conciencia une la teología moral y la espiritualidad.

---

[55] *PPS* V, p. 22.
[56] San Agustín, *Confesiones*, libro I, p. 1.
[57] "Perseverance in Grace", "Nature and Grace", "Illuminating Grace" y "The Mysteries of Nature and Grace", en *Discourses Addressed to Mixed Congregations* (1849).

Para él, la palabra designa no tan sólo un fenómeno moral -por importante que sea-, sino también, e inseparablemente, una percepción de la misteriosa presencia de Dios en nuestro interior, en lo más profundo de nuestra *conciencia*. Define al "cristiano verdadero" en términos de esa conciencia: "Así pues, casi es posible definir al verdadero cristiano como aquel que se rige por la conciencia de la presencia de Dios en su interior [...], presente no externamente, no meramente en la naturaleza o por la providencia, sino en lo más íntimo de su corazón, o en su *conciencia*.[58]

Por tanto, el estar atento a la "ley de la conciencia", implica mucho más que distinguir entre lo correcto y lo incorrecto, o entre el bien y el mal, pues representa el cultivo de la "receptividad", de la disposición interior de atención a Dios, y escuchar "la voz de la conciencia" implica, por tanto, de nuestra parte lo que Newman llamaría un "trabajo", un esfuerzo sostenido que es necesario para aclarar nuestra percepción de la voluntad de Dios y para ahondar en la conciencia de Su presencia.

Por último, una dimensión importante de la relación entre teología, espiritualidad y moral se encuentra en las numerosas reflexiones de Newman sobre el tema de la fe. En la actualidad es frecuente que la fe se conciba principalmente en términos intelectuales, como equivalente a "creer"; con demasiada frecuencia clasificamos a los seres humanos simplemente como "creyentes" o "no creyentes". Por el contrario, Newman concibe a la fe en el sentido bíblico: la fe, sobre todo es mirar a Dios, brindarle toda nuestra confianza y desear *recibirlo* en nuestro corazón. En referencia a Efesios 3, 17, "fortalecidos por la fuerza de Su Espíritu en el hombre interior, para que Cristo habite en sus corazones por virtud de la fe", Newman hace este comentario: "El Espíritu Santo es causa de aquello que la *fe acoge*, la inhabitación de Cristo en el corazón".[59] Así, la fe fundamentalmente es un deseo, así como una *capacidad* para "recibir".

---

[58]   "Sincerity and Hypocrisy", *PPS* V, 16, pp. 225-226 (cursivas de Newman).
[59]   "The Spiritual Presence of Christ in the Church", *PPS* VI, 10, p. 126 (cursivas del autor).

También trata a detalle la relación entre la fe y lo que llama "obediencia". En este punto, el contexto teológico es el debate entre la salvación por la "fe" y la salvación por las "obras". Newman no considera haya oposición entre ambas. De acuerdo con él, la "obediencia", cuando se basa en la humildad, *conduce* a la fe. De igual modo, "un hombre puede ser obediente, pero orgulloso de serlo", y en tal caso, argumenta:

> Un hombre es orgulloso o (como a veces se dice) santurrón, no cuando es obediente, sino en proporción a su desobediencia. Ser orgulloso es estar sustentado sobre sí mismo [...], pero la mente de verdad obediente necesariamente se siente insatisfecha consigo misma, y busca ayuda fuera de sí misma, al comprender la grandeza de su misión; en otras palabras, en la medida en que un hombre obedece, se inclina hacia la fe, para conocer el remedio de las imperfecciones de su obediencia.[60]

"Fe" y "obediencia", o creer y actuar, lejos de oponerse son simplemente "dos estados de la mente" que son "por completo una y la misma cosa". "Creer es mirar más allá de este mundo a Dios y obedecer es mirar más allá de este mundo a Dios: creer es del corazón y obedecer es del corazón [...]. Son la misma cosa vista de manera diferente".[61]

Por medio de la "obediencia", en especial cuando se abraza una actitud de humildad y de lo que Newman llama "enseñabilidad" (*teachableness*), nos colocamos "*en el camino* para llegar al conocimiento de Dios".[62] A la inversa, también afirma que "las obras sobrenaturales que [Dios] obra por nosotros se encuentran en el corazón, impartiendo gracia; cuando desobedecemos, no solamente estamos desobedeciendo Su mandato, sino *resistiendo a Su presencia*".[63]

También enfatiza que si la fe es un "don de Dios", debemos *prepararnos* para recibir este don. Afirma que si Dios no es meramente externo con respecto a nosotros, sino que —por lo menos en poten-

---

[60] "Faith and Obedience", *PPS* III, 6, pp. 80-81.
[61] *Ibid., loc. cit.*
[62] "Inward Witness to the Truth of the Gospel", *PPS* VIII, 8, p. 113 (cursivas de Newman).
[63] "Miracles No Remedy for Unbelief", *PPS* VIII, 6, p. 87 (cursivas del autor).

cia— está dentro de nosotros, entonces la naturaleza de la moral cambia radicalmente: "Comparecer ante Dios y habitar en su presencia" es entonces "una cosa muy diferente que el estar meramente sujeto a un sistema de normas morales", pues exige "una preparación del alma", una preparación especial del pensamiento y del afecto que nos permita soportar Su mirada y mantener la comunión con Él como debemos. Más todavía, puede ser una preparación del alma misma para Su presencia, así como los ojos se deben ejercitar para soportar la luz del día o el cuerpo se ha de preparar para soportar la intemperie.[64]

A final de cuentas, la fe verdadera nos conduce a entregarnos sin reservas en manos de Dios, lo que Newman llama la actitud de "rendición" (*surrender*) espiritual. Tener fe es

> sentir con todas las fuerzas que somos criaturas de Dios; es una percepción práctica del mundo invisible; es comprender que este mundo no basta para nuestra felicidad, mirar más allá de él hacia Dios, darse cuenta de Su presencia, esperar en Él, esforzarse por conocer y cumplir Su voluntad, y buscar en Él nuestro bien. [...] Tener fe en Dios es rendirse a Dios, entregarle los propios intereses, o desear que se nos permita ponerlos en las manos de quien es el Soberano Dador de todo bien.[65]

Antes se mencionó que la manera en que *pensamos acerca* de Dios determina nuestro modo de orar ante Él y de buscarle. Además, es posible afirmar que, para Newman, también es cierto que nuestras *disposiciones morales* determinan nuestras ideas y nuestra capacidad para creer, así como nuestra habilidad para buscar y encontrar a Dios.

La función del "dogma": los *Oxford University Sermons*

A lo largo de toda su vida, Newman defendió la causa del "dogma". Es interesante que en su relato de su primera "conversión" de 1816, los dos elementos clave de su experiencia hayan sido el descubrimiento

---

[64] "Worship, a Preparation for Christ's Coming", *PPS* V, 1, pp. 6-7.
[65] "Faith and Obedience", *PPS* III, 6, pp. 79-80.

del dogma y su encuentro personal con Dios: "Cayó bajo la influencia de un Credo definido y recibió en [su] intelecto impresiones del dogma", y su mente llegó a "descansar en el pensamiento de dos y solamente dos seres absolutos y luminosamente autoevidentes: yo y mi Creador".[66] La yuxtaposición sugiere un vínculo, aunque la naturaleza de dicho vínculo no se explicite.

¿Qué entiende exactamente Newman por "dogma"? Contrariamente a una idea errónea muy extendida en la actualidad, la palabra *no* designa un conjunto de ideas rígidas ni una actitud de inflexibilidad. En el original griego, *dogma* significa: "pensamiento" u "opinión". Sin embargo, al desarrollarse el cristianismo la palabra adquirió un sentido específico y técnico: los "dogmas" de la Iglesia son las formulaciones de las grandes verdades relativas al "Misterio" de Dios, expuestas y depuradas por los teólogos a lo largo de los siglos y posteriormente aprobadas y promulgadas por el magisterio. En este sentido hay que comprender el uso de esta palabra por parte de Newman. De este hecho, se derivan numerosas conclusiones.

En primer lugar, la existencia de los dogmas supone y exige la existencia de la *Iglesia*, tanto como autoridad de enseñanza capaz de definir y promulgar artículos de fe, como institución o cuerpo "visible", con sus ritos y sacramentos. En la *Apologia*, Newman declara que si el primero de los tres principios en que se fundó el "Movimiento de 1833" fue el del dogma, el segundo, "basado en este cimiento del dogma", fue la existencia de "una Iglesia visible, con sacramentos y ritos que son los canales de la gracia invisible".[67] No es casualidad, a sus ojos, que el "protestantismo" (término que para él también abarcaba

---

[66] *Apologia*, 4. Por supuesto, Newman mira en retrospectiva a casi 50 años de distancia. Sin embargo, una expresión semejante se encuentra en un sermón escrito y pronunciado más de 30 años antes, en 1833. "Empezamos, por grados, a percibir que *en todo el universo* hay *dos seres, nuestra propia alma y el Dios que la hizo* [...]. Para cada uno de nosotros, en el mundo entero no hay *sino dos seres, uno mismo y Dios*" "The Immortality of the Soul", *PPS*, I, 2, p. 20 (cursivas del autor).

[67] *Apologia*, 48-49. El tercer principio, después totalmente abandonado por Newman, fue la radical hostilidad contra el catolicismo de Roma.

el anglicanismo mayoritario, como existía en su tiempo) rechazara este concepto de Iglesia, tendiendo a minimizar la importancia del dogma o, como quedó demostrado dramáticamente en el caso Gorhan de 1850, llevara a la subordinación de la Iglesia al Estado, de modo que la primera permitía mansamente al segundo definir sus doctrinas.

La segunda conclusión implica una paradoja. La reflexión sobre el tema del dogma lleva a la conclusión de la *insuficiencia* de todas las afirmaciones relativas a Dios. Aquí es posible detectar la influencia de la teología apofática de ciertos Padres de la Iglesia, desde Gregorio de Nisa, para quien Dios es "incomprensible" e "incognoscible", salvo a través de una cierta forma de "desconocimiento", en un tipo de experiencia que nos sitúa *más allá* de palabras y conceptos. Por tanto, únicamente podemos referirnos a Él en términos de analogía y metáfora, o incluso por medio de declaraciones negativas: "Dios *no* es esto o aquello...".

Al mismo tiempo, y esta es la tercera conclusión, el dogma es absolutamente indispensable. Porque la función de los dogmas no es tan sólo garantizar el recto pensamiento o la creencia del cristiano como si fuera un fin en sí misma, sino guiarnos en nuestra búsqueda *espiritual* y ayudarnos a profundizar en la vida espiritual. En algunos sermones parroquiales Newman lo declara firmemente. Por ejemplo, en "The Incarnation" declara que

> el objeto de nuestra fe no se refleja sino débilmente en nuestra mente, en comparación con la vívida imagen que Su presencia imprimió sobre los primeros cristianos. [...] No obstante, los credos ofrecen una ayuda adicional en este sentido. Las declaraciones que contienen, las distinciones, advertencias y cosas por el estilo, apoyadas e iluminadas por la Escritura, por así decirlo, bajan del cielo *la imagen de Aquel que está a la diestra de Dios.*[68]

En otro sermón, también dedicado al tema de la Encarnación, se pregunta: "¿Qué ganamos con palabras, por muy correctas y profusas

---

[68] "The Incarnation", *PPS*, II, 3, p. 29 (cursivas del autor).

que éstas sean, si se acaban en sí mismas, en vez de iluminar *la imagen del Hijo encarnado en nuestros corazones?*"[69]

Los *Oxford University Sermons* de Newman se ocupan de estas cuestiones con mayor detalle y de forma más técnica. Al reflexionar sobre el sermón XIII, "Implicit and Explicit Reason", que trata sobre la naturaleza de la inspiración divina de la Escritura, al parecer toma prestado de san Juan Crisóstomo el concepto de "condescendencia" divina:

> La inspiración [de la Escritura] es defectuosa, no por sí misma, sino como consecuencia del medio que emplea y de los seres a quienes se dirige. Usa lenguaje humano y se dirige al hombre; y ni el hombre puede abarcar, ni sus cien lenguas pronunciar, los misterios del mundo espiritual ni los rastros que deja Dios en él. [...] ¿Qué es, por ejemplo, lo que la Escritura menciona acerca de las leyes del gobierno de Dios, de sus providencias, consejos, planes, de su ira y arrepentimiento, sino un gracioso modo (tanto más gracioso en cuanto es necesariamente imperfecto) de hacer contemplar al hombre lo que está más allá de él? [...] Antes que permitir que no supiéramos nada, Dios Todopoderoso *ha condescendido a hablarnos hasta donde el pensamiento y el lenguaje humanos admiten, por aproximaciones*, para así darnos normas prácticas para nuestra propia conducta en medio de sus operaciones infinitas y eternas.[70]

En el último de los *Sermones universitarios* vuelve a la idea de que los dogmas son indispensables para la correcta orientación de nuestra búsqueda espiritual. Ahí afirma que los credos y los dogmas

> viven en la sola idea que pretenden expresar y eso es lo único sustantivo; son necesarios tan sólo porque la mente humana no puede reflexionar sobre esa idea, sino fragmentariamente [...] y, por tanto, los dogmas católicos, después de todo, no son más que símbolos de un hecho divino que, lejos de caber en tales proposiciones, no podrían agotar ni sondear millares de proposiciones semejantes.[71]

---

[69]   "The Humiliation of the Eternal Son", *PPS*, III, 12, pp. 169-170 (cursivas del autor).
[70]   *Fifteen Sermons Preached Before the University of Oxford Between A.D. 1826 and 1843*, núm XIII, "Implicit and Explicit Reason", pp. 268-269 (cursivas del autor).
[71]   *Ibid.*, núm. XV, "The Theory of Developments in Religious Doctrine", §23, pp. 331-332.

El conocimiento teológico, el conocimiento *sobre* Dios, está diseñado para llevarnos al conocimiento directo y experiencial *de* Dios. Newman designa esta experiencia con la palabra "impresión", aquella que es "impresa" directamente en nuestras mentes por Dios mismo. Sostiene que tal es el sentido bíblico de la palabra "conocimiento":

> Una impresión de este tipo íntimo parece ser lo que la Escritura entiende por "conocimiento". "Ésta es la vida eterna", dice nuestro Salvador, "que te conozcan a ti, el único Dios verdadero, y a tu enviado, Jesucristo". De manera semejante habla san Pablo al referirse a perder voluntariamente todas las cosas "por la excelencia del conocimiento de Jesucristo"; así como san Pedro se refiere al "conocimiento de Aquel que nos llama a la gloria y a la virtud".[72] El conocimiento es la posesión de esas ideas vivas de las cosas sagradas, de las que sólo puede proceder el cambio de corazón o de conducta. Esta tremenda visión es la que la Escritura parece designar con las frases "Cristo en nosotros", "Cristo que habita en nosotros por la fe", "Cristo formado en nosotros" y "Cristo que se manifiesta ante nosotros".[73]

Newman incluso llega a argumentar que las formulaciones dogmáticas pueden proceder de esta experiencia espiritual:

> Más aún, observo que, si bien la mente cristiana razona una serie de afirmaciones dogmáticas, una a partir de la otra, ello siempre lo ha hecho y siempre lo hará, no a partir de esas afirmaciones tomadas en sí mismas, como proposiciones lógicas, sino como estando ella misma *iluminada y (como si fuera) habitada por esa impresión sagrada* que es anterior a ellas, que actúa como principio regulador, siempre presente, sobre el razonamiento, y sin el cual nadie tiene garantía de poder tan siquiera razonar. Frases como "la Palabra era Dios", o "el Hijo unigénito que está en el seno del Padre" o "el Verbo se hizo carne", o "el Espíritu Santo que procede del Padre", no son [...] sino muestras au-

---

[72] Jn 17, 3; Fil 3, 8; 2Pe 1, 3 (nota a pie de página de Newman).
[73] *Fifteen Sermons...*, XV, § 24, p. 332.

gustas de *hechos extremadamente simples, inefables, adorables*, abrazados y consagrados según su medida en la mente creyente.[74]

Afirma que ése, en efecto, fue el caso de los Padres de la Iglesia:

> Más aún, esto explica tanto el modo de argumentar a partir de textos particulares o palabras sueltas de la Escritura, tal como lo hacían los primeros Padres, como su imperturbable decisión al ponerlo en práctica; pues el gran Objeto de Fe en el que vivían les permitía tanto apropiarse de pasajes particulares de la Escritura, como convertirse en salvaguarda contra las deducciones heréticas a partir de los mismos.[75]

La oposición de Newman al "liberalismo" teológico

La cuestión del dogma se encuentra en el corazón de su lucha de toda la vida contra el llamado "liberalismo". En el "Biglietto Speech" de 1879, discurso pronunciado con ocasión de su recepción del capelo cardenalicio, declaró que "por treinta, cuarenta, cincuenta años he resistido con todas mis fuerzas el espíritu del liberalismo en religión".[76] ¿Qué quería decir con este término? Es posible distinguir aquí cinco vetas de su pensamiento.

La primera evidentemente es el rechazo del liberalismo hacia cualquier "dogma", como cuestión de principio. Así, en la *Apologia* lo

---

[74] *Ibid.*, § 26, p. 334. Las cursivas son del autor. Como historiador, cuando desea hacer alguna puntualización teológica, Newman suele argumentar a partir del testimonio dado por los primeros cristianos. Así, en el sermón "The Apostolical Christian" afirma que no había ninguna barrera, ninguna nube, ningún objeto terrenal interpuesto entre el alma del cristiano primitivo y su Salvador y Redentor. Cristo estaba en su corazón, y por lo tanto todo lo que salía de su corazón, sus pensamientos, palabras y acciones, sabían a Cristo. El Señor era su luz, y por eso brillaba con luminosidad" (*Sermons Preached on Subjects of the Day*, núm. 19, p. 281).

[75] *Ibid.*

[76] *Biglietto Speech*, en *Addresses to Cardinal Newman with His Replies, etc., 1879-1881*. Edición de W. P. Neville (Cong. Orat.), Londres, Longmans, Green & Co., 1905, p. 64.

describe como "el principio antidogmático y sus desarrollos".[77] En el "Biglietto Speech" lo describe como una forma de relativismo en cuestiones filosóficas y religiosas, en palabras que anteceden las denuncias sobre la moderna dictadura del relativismo que hizo el papa Benedicto XVI: "El liberalismo en religión es la doctrina según la cual no hay verdad positiva en la religión, sino que un credo es tan bueno como cualquier otro. [...] Se manifiesta incompatible con el reconocimiento de cualquier religión como verdadera. Enseña que todas han de ser toleradas, pues todas son cuestión de opinión".[78]

Un tercer elemento queda sugerido por las palabras antes citadas; se trata de la reducción de la religión a un mero asunto de "opinión" personal. Esto se afirma con claridad en la tercera de las proposiciones condenadas como falsas en el apéndice de la *Apologia*: "Ninguna doctrina teológica es más que una opinión sostenida por grupos humanos".[79] La crítica de la reducción de la religión a una cuestión de opinión personal y subjetiva subyace en numerosas críticas y ataques de Newman al principio del "juicio privado".

Un cuarto elemento yace en lo que considera un uso abusivo de la "razón". Esto se expresa en otro pasaje del mismo apéndice: "Por liberalismo entiendo la falsa libertad de pensamiento, o el ejercicio del pensamiento sobre cuestiones que, debido a la constitución de la mente humana, el pensamiento no puede llegar a buen fin y, por lo tanto, está fuera de lugar".[80] Éste no es un llamado al oscurantismo, sino el reconocimiento de que ciertas realidades quedarán siempre fuera del completo dominio de la mente humana. En consecuencia, es fútil intentar "conceptualizar" a Dios por entero, y las consecuencias de tal intento, como ya se ha sugerido, pueden ser perniciosas desde el punto de vista espiritual, pues ello fomenta el orgullo intelectual y la complacencia.

---

[77] *Apologia*, 48. Véase, asimismo, en el apéndice de la misma obra la nota A, pp. 285-267, en la cual intenta desarrollar y aclarar esta fórmula.
[78] "Biglietto Speech", p. 64.
[79] Nota A, "Liberalism", *Apologia*, 294.
[80] *Ibid.*, p. 289.

Esto nos conduce al quinto y último elemento del liberalismo que Newman atacaba: si bien nunca lo hace explícito, en su obra se encuentra una intuición acerca de la evolución del pensamiento occidental a partir del siglo XVII, la cual ya ha sido examinada con anterioridad en el este mismo capítulo. Aunque los historiadores suelen referirse a esta época como a la "edad de la razón", quizá fuera más adecuada describirla como una era de intelectualismo creciente. Cada vez más se considera al pensamiento como la más alta actividad humana; a su vez, esto conduce a rechazar toda forma de experiencia que no se pueda reducir a un conjunto de conceptos o ideas, comenzando por la experiencia de Dios, tal como lo atestiguan incontables autores espirituales y místicos, y el mismo Newman.

Asentimiento "nocional" y "real"

Por último, la idea de la interdependencia entre teología, espiritualidad y moral también se encuentra en la *Grammar of Assent*. El punto central aquí es la distinción entre asentimiento "nocional" y asentimiento "real". (Es preciso recordar que aquí la palabra "real" conserva el sentido del latín *res*, "objeto" o "cosa", e incluso "persona", significado que cualquier hombre culto contemporáneo de Newman habría reconocido de inmediato, pues el conocimiento del latín era parte de las cualidades intelectuales de un "caballero".) El asentimiento "nocional" pertenece al ámbito de la teología; el asentimiento "real" al de la religión, lo cual por supuesto incluye, para Newman, el ámbito de las relaciones concretas y la experiencia espiritual:

> Un dogma es una proposición; representa una noción o una cosa; y creerlo es darle el asentimiento de la mente, pues representa a uno u otra. Darle un asentimiento real es un acto de religión; dar un asentimiento nocional es un acto teológico. La imaginación religiosa lo discierne, se apoya sobre él y lo hace suyo como realidad; el intelecto teológico lo sostiene como verdad.[81]

---

[81] *An Essay in Aid of a Grammar of Assent*, p. 98.

A veces (como en la última frase citada), Newman usa el término "imaginación" e "imaginativo" en vez de "real" y sus derivados. No obstante, es importante comprender que, para él, la palabra "imaginación" significa no la capacidad de "imaginar" o inventar, sino la *capacidad* de representar ante nosotros mismos, por medio de una "imagen" particularmente poderosa, un objeto que en sí mismo es "real" o, como dice Newman, es "la imagen de una realidad". Así, a veces opone las palabras "nocional" e "imaginativo", como cuando afirma que "la teología, propia y directamente, se ocupa de la comprensión nocional; la religión, de la imaginativa".[82]

En la *Grammar* hay una petición hecha en nombre de la teología y los teólogos, como la que también aparece en el largo prefacio de 1877 al volumen II de la *Via Media*. La "religión" necesita del fundamento intelectual que le proporciona la teología, "no puede tenerse en pie de ningún modo sin teología".[83] Si es cierto que la teología no puede ser un fin en sí misma, pues su objetivo último es orientar nuestra búsqueda de Dios, es sin embargo fundamental *para* dicha búsqueda y, por necesidad, la *precede*:

> Las proposiciones son útiles en su aspecto dogmático, pues nos permiten verificar y aclarar las verdades sobre las que debe descansar la imaginación religiosa. El conocimiento siempre debe preceder a la actividad de los afectos. Es preciso saber algo sobre Dios, antes de poder sentir amor, temor, esperanza o confianza hacia Él.

Newman incluso admite que la teología, como ejercicio intelectual, puede existir sin religión (aunque añade que, en tal caso, necesariamente le faltará "vida"): "La teología puede erigirse en ciencia sustantiva, aunque entonces carecería de la vida de la religión". No obstante, el hecho es que, para Newman, la vida espiritual es lo que más importa y, por tanto, es necesario pasar de lo "nocional" a lo "real", de la teología a la religión, y permitir que la presencia de Dios se "realice" (*to be "realized"*) en nosotros.

---

[82] *Ibid.*, pp. 119-120.
[83] *Ibid.*, pp. 120-121.

No obstante, con demasiada frecuencia no logramos esta "realización" o toma de conciencia. A propósito de nuestra participación en la liturgia de la Iglesia, Newman se pregunta por qué el fervor es tan flaco en las grandes festividades religiosas. ¿No será que "en lo personal nos encontramos a menudo tan poco aptos para participar en ellas, [...] que no somos suficientemente buenos, que en nuestro caso el dogma es *excesivamente una noción teológica, y muy poco una imagen que vive en nosotros?*[84]

En una cultura tan sumamente intelectualizada como en la que vivimos en la actualidad, el paso de lo "nocional" a lo "real", de pensar acerca de Dios a verdaderamente "percatarse" de su presencia, constituye un desafío difícil e incesante. No obstante, es un desafío que todos los cristianos están llamados a enfrentar.

Conclusiones

Para Newman, el cristianismo es por necesidad una religión dogmática que posee una teología congruente y altamente desarrollada. Sin embargo, igualmente necesario es que no sea *simplemente* una religión dogmática y que tampoco se la reduzca al nivel de unos "valores", sin importar cuán elevados puedan ser. En uno u otro caso, ello conduciría al total abandono de su importantísima dimensión espiritual. Por último, tanto la búsqueda personal en pos de las verdades teológicas sobre Dios, como la búsqueda de un íntimo "conocimiento" de Dios como ser viviente exigen una forma permanente de *askèsis* o "adiestramiento" ético diseñado para "purificar" nuestros corazones y nuestras mentes, de manera que seamos "capaces" tanto de comprender mejor el "Misterio" de Dios como de recibir a Dios en nuestros "corazones".

---

[84] *Ibid.,* pp. 139-140 (cursivas del autor).

Referencias

An Essay in Aid of a Grammar of Assent, 1870.

Apologia pro vita sua, 1864.

An Essay on the Development of Christian Doctrine, 1845.

"Biglietto Speech" (1879), en Addresses to Cardinal Newman with Certain Difficulties Felt by Anglicans in Catholic Teaching, 2 vols. (1850), 1876.

Discourses Addressed to Mixed Congregations, 1849.

Fifteen Sermons Preached Before the University of Oxford Between A.D 1826 and 1843, 1843.

Lectures on the Doctrine of Justification, 1838.

Letters and Diaries of John Henry Newman, Oxford, Clarendon Press & Oxford University Press/Londres, Nelson, 32 vols., 1961-2007.

Parochial and Plain Sermons, 8 vols., 1834-1843. Sermons Preached on Subjects of the Day, 1857.

Stray Essays, 1890.

The Idea of a University (1852), 1873.

Otros autores citados:

Agustín de Hipona, Confesiones.

Basilio de Cesarea, Sur le Saint Esprit, París, Éditions du Cerf, Sources chrétiennes, núm. 17 bis, 1986.

BÉRULLE, P. de, *Conférences*, en *Œuvres complètes*, París, Éditions du Cerf & Oratoire de France, vols. I y IV, 1995.

OLIER, J.-J., *Catéchisme chrétien de la vie intérieure*, París, Le Rameau, 1954.

SAINT-JURE, J.-B., *L'Homme spirituel*, París, 1646.

TOLAND, J., *Christianity Not Mysterious or, A Treatise Shewing That There is no-thing in the Gospel Contrary to Reason, Nor Above it: And that no Christian Doctrine can be properly called a Mystery*, Londres, 1696.

Fuentes secundarias:

BEAUMONT, K., *Dieu intérieur. La théologie spirituelle de John Henry Newman*, París, Ad Solem, 2014.

——, "Newman et la question de l'inspiration biblique", *Newman et la Bible. Études Newmaniennes*, 29(2013):143-164.

Dictionnaire de spiritualité ascétique et mystique, vol. 12/3, París, Beauchesne, 1986; vol. 15/1, París, Beauchesne, 1990.

Dictionnaire de Théologie catholique, París, Letouzey et Ané, vol. 15, 1950.

JONES, Ch., Wainwright, G. y E. Yarnold (eds.), *The Study of Spirituality*, Londres, SPCK, 1986.

JUAN PABLO II, *Fides et ratio*, 1998.

LOSSKY, V., *The Mystical Theology of the Eastern Church*, St Vladimir's Seminary Press (1938), 1976.

THOMAS, S., *Newman and Heresy. The Anglican Years*, Cambridge, Cambridge University Press, 1991.

III
La influencia de Newman en la constitución *Dei Verbum* del Vaticano II

Juan R. Vélez Giraldo

Se suele hacer referencia al cardenal Newman como "el Padre ausente del Vaticano II". Un vistazo a los teólogos que trabajaron para los padres del Concilio sugiere que tal afirmación es precisa y que, con bastante probabilidad, Newman influyó sobre los redactores de *Dei Verbum*, la Constitución dogmática sobre la Divina Revelación. Al estudiar la enseñanza de Newman y descubrir a los teólogos que se valieron de dicha enseñanza, quedan claras las conexiones y resonancias de la influencia de Newman sobre tan importante constitución del Vaticano II. Además, se hace evidente que Newman pudo haber dicho mucho más acerca de la revelación que sus comentarios sobre los "*obiter dicta*", malinterpretados muy a menudo.

En tanto más de 200 teólogos colaboraron directamente en redactar y revisar los documentos del Vaticano II a lo largo de las cuatro sesiones del Concilio (1962-1965), resulta muy difícil establecer una correspondencia directa entre un cierto teólogo y unos ciertos párrafos de los textos conciliares. Salvo por el trabajo de los consultores que prepararon los borradores iniciales, tales expertos o *periti* tenían el encargo de representar el pensamiento de los miembros de la Comisión Teológica más que el suyo propio; además, los textos fueron revisados y modificados, una vez que los padres del Concilio los votaron. No obstante, estos teólogos actuaron como consejeros personales de los obispos y, en Roma, a lo largo de los cuatro periodos del Concilio dieron conferencias ante grupos de obispos, con lo cual sus opiniones teológicas, así como aquellas de los teólogos de otras generaciones y siglos, influyeron sobre las deliberaciones y decisiones de los padres conciliares.

En el presente capítulo, examinaremos la posible influencia de Newman sobre el pensamiento de los teólogos que trabajaron en la elaboración de *Dei Verbum*, en particular, Yves Congar, Henri de Lubac y Edward Schillebeeckx. Sin embargo, será útil primero hacer algunas observaciones sobre la teología de Newman, en específico, acerca de sus textos sobre la inspiración e interpretación de la Escritura, cuando tienen un correlato significativo en *Dei Verbum*.

Algunos elementos fundamentales de la teología de Newman

Las contribuciones de Newman a la teología fundamental, la eclesiología, el ecumenismo y la educación son significativas; no obstante, quizá una de sus contribuciones más importantes ha sido la de una renovación de la teología y la espiritualidad, con base en el énfasis sobre la Escritura y la enseñanza de los Padres de la Iglesia acerca de Cristo.[1] Puesto que Newman no escribió tratados teológicos se hace más difícil especular sobre la influencia específica que pudo haber

---

[1]   Autores como santa Teresa de Lisieux y san Josemaría Escrivá privilegiaron las Escrituras en sus textos, con lo que también contribuyeron a la renovación espiritual y bíblica. La predicación y los escritos de san Josemaría se basaban por entero en la Escritura y en los Padres de la Iglesia. San Josemaría inspiró una espiritualidad centrada en la amistad con Cristo a través de la meditación de las Escrituras, y su obra teológica también hace referencia a la centralidad de Cristo en la Biblia y en los Padres de la Iglesia.

tenido sobre los desarrollos teológicos. No obstante, su pensamiento, tras ser recibido en los mundos de habla francesa y alemana, inspiró y contribuyó a los esfuerzos de los movimientos de renovación bíblica, ecuménica y teológica surgidos a principios y mediados del siglo XX. Si bien en los textos del Vaticano II hay pocas referencias a Newman, aquí es donde se encuentran los primeros indicios de su influencia sobre los *periti* del Vaticano II.[2]

Debido a su mentalidad histórica y a la importancia que daba a los Padres de la Iglesia, en Oxford Newman se dio a la tarea de empezar a traducir sus textos.[3] Estudioso de la Biblia e historiador de la Iglesia, Newman concebía las páginas de la Escritura como la historia de la Salvación, subrayando el distintivo carácter histórico de la Revelación, en especial al distinguir la religión revelada de la religión natural. El texto siguiente, tomado del segundo de los *Oxford University Sermons*, ilustra este punto, mostrando la centralidad de Cristo en sus escritos:

> Entonces, si bien la Religión Natural no carecía de los más profundos y sinceros sentimientos religiosos, puesto que no presenta una historia tangible de la Divinidad ni señala la personalidad y carácter de Dios (si es que podemos expresarnos así sin ser irreverentes), le hacía falta el

---

[2] En los Comentarios a los Documentos del Vaticano II solamente se encuentra un puñado de referencias a Newman (H. Vorgrimler [ed.], Fribrugo, Herder, 1967). Una de éstas se refiere al capítulo de *Dei Verbum* donde, de acuerdo con Ratzinger, Newman contribuyó sobe el tema del desarrollo del dogma y otro sobre *Dignitatis Humanae* en que Ratzinger hace referencia a la enseñanza de Newman sobre la conciencia. En R. Burinaga, *La Bibbia nel concilio. La redazione della costituzione "Dei verbum" del Vaticano II*, Bolonia como Il Mulino, 1998, se hace referencia a Newman en torno al concepto de suficiencia de las Escrituras y de la única fuente para la Revelación (326-327). En G. Alberigo (ed.), J. A. Komonchak, *History of Vatican Council II*, Maryknoll, Nueva York, Orbis Books, 1998, aparecen seis referencias a Newman, pero solamente dos de ellas vienen al caso.

[3] Este enfoque renovado de la teología era compartido por Johann Adam Möhler en Alemania y por Le Saulchoir, la escuela dominica, en Bélgica.

más eficaz de los incentivos para la acción, un punto de salida y de encuentro, un objeto en el cual poner los afectos y concentrarse las energías.[4]

En el pensamiento de Newman se encuentra una sana y justa tensión entre misterio y dogma, entre asentimiento personal y fórmulas dogmáticas. El enfoque de la teología de Newman manifiesta dos importantes categorías del cristianismo identificadas por los estudiosos alemanes: su carácter personal y su carácter histórico.[5] Los estudiosos contemporáneos de Newman, Ian Ker y John Crosby, hablan más directamente de su enfoque personalista (personalismo), que difiere significativamente de los manuales escolásticos. Es decir, el Dios que se revela al hombre es un ser luminoso que colma la mente y la imaginación de la persona. Apela a toda la persona, al corazón. Esta idea aparece en la *Grammar of Assent* de Newman, que comienza con una cita de san Ambrosio: "Non in dialectica complacuit Deo salvum facere populum suum". La razón y el dogma (el principio dogmático), si bien son importantes, siguen al encuentro personal con Cristo. El asentimiento real de la fe es mucho más convincente que el asentimiento nocional. Ian Ker se refiere a esta visión que Newman encontró en los Padres de la Iglesia, según se observa en su obra *Arians of the Fourth Century*. En esta obra, Newman habla de la libertad de la Iglesia primitiva con respecto a los credos y del principio místico o sacramental presente en la teología de san Clemente y Orígenes.[6]

---

[4]   J. H. Newman, "The Influence of Natural and Revealed Religion Respectively", en *Fifteen Sermons Preached before the University of Oxford*, Londres, Longmans, Green, and Co., 1909, sermón 2.

[5]   Véase W. Becker, "Newman's Influence in Germany", en J. Coulson y A. M. Allchin (eds.), *The Rediscovery of Newman: An Oxford Symposium,* Londres, Sheed & Ward, 1967, p. 185. Aquí el autor hace particular referencia a G. Henrich Fries, Karl Rahner Söhngen y a los teólogos suizos Josef Feiner y Josef Trûtsch, principales colaboradores de *Mysterium Salutis.*

[6]   I. Ker, "Some Unintended Consequences of Vatican II", en *Newman on Vatican II*, Oxford, Oxford University Press, 2016, pp. 105-113.

La teología de Newman también se caracteriza por la centralidad de Cristo, algo que, en los *University Sermons*, él denomina la "idea católica".[7] En su antología sobre Newman el teólogo jesuita Erich Przywara cita 15 pasajes que contienen esta idea. A continuación, se presenta uno de dichos textos como muestra de la visión cristológica tan fundamental en la espiritualidad y teología de Newman:

> Si bien ahora Cristo se sienta a la diestra de Dios, en cierto sentido nunca se fue del mundo, después de haber entrado por primera vez... Incluso cuando estuvo visiblemente en la tierra, el Hijo del Hombre todavía estaba "en los cielos"; ahora que ya ascendió a las alturas, sigue en la tierra... El tiempo y el espacio no tienen parte en el Reino espiritual que fundó; y los ritos de su Iglesia son como hechizos misteriosos, por medio de los cuales anula tanto el tiempo como el espacio. Sin impedimento alguno, Cristo brilla a su través, como si se tratase de cuerpos transparentes...".[8]

En cierta medida, esto ya señala la visión cristológica que, más adelante, el Vaticano II fijaría en sus documentos.

La doctrina de Newman sobre la Revelación y sus paralelismos con respecto a *Dei Verbum*

Después de haber considerado estos elementos fundamentales de la teología y espiritualidad de Newman, repasemos ahora sus ideas sobre la Revelación, tema directo de nuestro estudio. Como lo expresa Ian Ker: "Como anglicano y como católico, Newman siempre enfatizó que la revelación cristiana es primero antes que nada personalista, más que proposicional. Porque Dios se autorrevela en la persona de

---

[7]   *Ibid.*, p. 112.
[8]   J. H. Newman, *Parochial and Plain Sermons*, vol. III, Londres, Longmans, Green, and Co., 1907, p. 277.

Jesucristo encarnado".[9] Para Newman, la Revelación es tanto un "hecho" como un mensaje de Dios. Pero sobre todo pensaba que es la manifestación del Dios vivo al hombre en Jesucristo. En sus propias palabras: "Aquello que ha sostenido siempre a los católicos, a los doctores de la Iglesia, así como a los apóstoles, no es la multitud de cánones o decretos teológicos, sino, y lo repetimos, Cristo mismo, tal como se representa su existencia concreta en el Evangelio".[10]

En el *Tract 73, On the Introduction of Rationalistic Principles into Religion*, Newman explicó la incapacidad inherente del lenguaje humano para expresar adecuadamente las verdades de la divina revelación, ya que la mente humana no puede comprender por entero estos misterios. No obstante, algunos años después, en el último de los *Oxford University Sermons*, intitulado "The Theory of Developments in Religious Doctrine", juzga las proposiciones dogmáticas desde una luz mucho más favorable, pues considera los desarrollos doctrinales como un signo de la vida de la Iglesia.[11] Sin embargo, advierte lo siguiente: "Así pues, las proposiciones particulares, usadas para expresar porciones de la gran idea que se nos ha confiado, nunca pueden confundirse con la idea misma a la cual todo el conjunto de dichas proposiciones apenas pueden llegar, sin poderla rebasar jamás.[12] Sin embargo, tales dogmas son esenciales para la comprensión de la Revelación cristiana. Prosigue así: "Después de todo, los dogmas católicos no son sino símbolos del hecho divino que, lejos de caber en dichas proposiciones, no podría ser agotado ni medido por un millar de ellas".[13] Las proposi-

---

[9]   I. Ker, *Newman on Vatican II*, p. 108. El tratamiento de Ker sobre Newman y la Revelación es muy bueno y sirve como sustento a esta sección del capítulo.

[10]   J. H. Newman, *Discussions and Arguments on Various Subjects*, Londres, Longmans, Green and Co., 1888, p. 388.

[11]   René Latourelle, S. J. identifica cinco cualidades esenciales de la enseñanza de Newman sobre la revelación: 1. Es conocimiento religioso; 2. Es un misterio; 3. Se presenta como una *economía*; 4. Tiene carácter doctrinal, y 5. Es dogmática. Véase R. Latourelle, *Theology of Revelation, Including a Commentary of the Constitution "Dei Verbum" of Vatican II*, Eugene, Oregon, WIPF & Stock, 2009, pp. 198-199.

[12]   "The Theory of Development", *Oxford University Sermons*, p. 331.

[13]   *Ibid.*, p. 332.

ciones no son sino porciones o aspectos que transmiten la única "idea católica",[14] pero esa "idea" no es sino la persona de Jesucristo.

Naturalmente, Newman estaría de acuerdo con las verdades y dogmas sobre la revelación de Dios al hombre, tal y como las expresa la constitución *Dei Filius* del Vaticano I. Desde muy joven había abrazado lo que solía llamar el principio dogmático de la religión, pues si Dios habla, es porque tiene algo que decirnos. "Si hay una Revelación, entonces debe haber una doctrina esencial que se propone a nuestra fe; y si esto es así, se siguen las cuestiones de *qué es* lo que se propone, *en qué medida* se propone y *dónde* se propone, así que, en consecuencia, nos vemos involucrados en investigaciones de una u otra clase, en alguna u otra parte, pues la doctrina no está escrita en el sol."[15]

En 1870, Newman proporcionó en *Grammar of Assent* lo que Ker llama una "declaración clásica de la relación entre la fe personal en una persona y las proposiciones doctrinales".[16] Cuando las personas objetan que las proposiciones convierten la religión en cuestión de palabras y lógica, Newman responde: "Las proposiciones pueden y deben ser usadas, y se las puede usar con facilidad, como expresión de hechos, no de nociones, y son necesarias para la mente de la misma manera en que el lenguaje es siempre necesario para denotar hechos, tanto para nosotros como individuos como en nuestras relaciones con los demás."[17] Explica que la devoción precisa de objetos y, dado que dichos objetos son sobrenaturales, al no estar representados a nuestros sentidos deben ser puestos ante la mente por medio de proposiciones.

A lo largo de sus escritos enseñó que los artículos de fe llegan a nosotros en la Iglesia viva, que determina las fórmulas que expresan dichas verdades y salvaguarda esta Tradición. En *Essay on the Development of Christian Doctrine* (1854) defendió el cristianismo histórico de

---

[14] *Ibid.*, p. 336.
[15] *Discussions and Arguments*, p. 131.
[16] I. Ker, *Newman on Vatican II*, p. 112.
[17] J. H. Newman, *An Essay In Aid of a Grammar of Assent*, Londres, Longmans, Green and Co., 1903, pp. 82-83.

la Iglesia católica, mostrando que a lo largo de los siglos se desarrolló su doctrina al mismo tiempo que se mantenía el tipo original. Al igual que en otros lugares, ahí reconoce el papel de papas y obispos como jueces en materia de doctrina e interpretación de las Escrituras. Para Newman, el oficio magisterial de la Iglesia tiene un papel único en la enseñanza y salvaguarda de las Escrituras y la Tradición, *si bien* todo el cuerpo de la Iglesia ejerce una función importante como testigo de las enseñanzas y devociones cristianas.

Anteriormente, cuando era anglicano, Newman trató otros diversos aspectos de la Revelación y la Biblia, tal como lo muestran algunas cartas que escribió a su hermano Charles, *Arians of the Fourth Century*, el texto del *Tract 85* intitulado *Lectures on Scripture Proof of the Doctrines of the Church*, y el número 13 de los *University Sermons, The Inadequacy of Biblical Language*.[18]

En *Arians of the Fourth Century*, Newman explica el uso de lo que llamó una "imaginación divinamente instruida" por parte de los autores humanos de la Escritura, debido al objeto sobrenatural que tenían ante ellos y a los sentimientos asociados a dicho objeto.[19] De acuerdo con Newman, los autores bíblicos, dotados de una "piedad disciplinada", usaron las imágenes, los símbolos y el lenguaje de libros bíblicos anteriores. Así pues, "la Biblia, aunque variada en sus partes, constituye un todo fundamentado sobre unos cuantos principios distintos que se disciernen a lo largo de todo el conjunto":[20] Para Newman, la Biblia tiene una estructura alegórica que invita a la interpretación alegórica, típica de la escuela de Alejandría.[21]

---

[18] Véase K. Beaumont, "Newman's Reflections on Biblical Inspiration", *Newman Studies Journal* 11.1(2004): 4-17.

[19] Véase M. Muller, "Newman's Poetics and the Inspiration of the Bible, en *Arians of the Fourth Century*", *Newman Studies Journal* 14.2(2017): 5-24.

[20] J. H. Newman, *The Arians of the Fourth Century*, Londres, Longmans, Green and Co., 1908, p. 64. En Muller hay una buena explicación de cómo Newman comprendía el uso de la imaginación en la poesía y en la inspiración bíblica.

[21] *Ibid.*, p. 63.

Años después, entre 1861 y 1863, ya como católico, Newman escribió un extenso ensayo sobre la inspiración en las Escrituras, inacabado e inédito al momento de su muerte. El contexto del estudio fue la publicación de *El origen de las especies* de Darwin (1859), que arrojaba dudas sobre la historicidad de los primeros capítulos del Génesis, así como por un volumen de ensayos titulado *Essays and Reviews*, descrito por siete teólogos anglicanos, que apareció un año después. Newman no pensaba que el libro de Charles Darwin suscitara dificultades para reconciliar la ciencia con las verdades esenciales de la Biblia, pero sentía cierto resquemor en cuanto a su efecto sobre los católicos, por lo cual quiso dirigirse a ellos para tratar el tema de la inspiración de la Biblia.

En este ensayo, Newman pasa revista por extenso al concepto de inspiración en los Padres de la Iglesia y los teólogos. El estudio muestra que los teólogos tendían a abandonar la doctrina de la inspiración oral, esto es, que cada palabra de la Escritura hubiera sido dictada a los hombres. Escribió que la Biblia es un trabajo tanto de Dios como del hombre. Al contemplar el papel del autor humano, escribió: "Los autores sagrados son uno en la medida en que Dios todopoderoso se valió de ellos para alcanzar un fin sobrenatural, inspirándolos y haciéndolos infalibles en lo que dicen y lo que escriben sobre ese fin; sin embargo, dichos autores difieren en muchos, o quizá en todos los demás aspectos. Escriben en lenguaje humano, en diversos idiomas, en diferentes estilos, algunos de los cuales a duras penas son gramaticalmente correctos, y otros que son elegantes y cultos. Alguno tiene más delicadeza y refinamiento en la inteligencia que otro; otro manifiesta más conocimientos seculares que el resto. Ninguno fue hombre de ciencia, crítico o astrónomo."[22]

También enfatiza que el Magisterio nunca ha pronunciado declaración alguna sobre la cuestión de la inspiración de la Escritura y de

---

[22]   J. H. Newman, *The Theological Papers of John Henry Newman on Biblical Inspiration and on Infallibility,* J. Holmes (ed.), Oxford, Clarendon, 1979, p. 24.

la fidelidad histórica de los detalles concretos.[23] En cambio, la Iglesia ha explicado con toda claridad el canon de la Biblia. Desafortunadamente, como ya se mencionó, este extenso ensayo nunca se completó y sólo se publicó recientemente en 1979.

Después de que la constitución *Dei Filius* del Vaticano I especificara que los libros de la Biblia fueron escritos "bajo la inspiración del Espíritu Santo" y que, por lo tanto, "su autor es Dios",[24] Newman consideró que se estrechaba el concepto de inspiración bíblica y se vio en la necesidad de escribir sobre el tema, para así ayudar a los católicos que hacían estudios bíblicos modernos. En 1884, publicó en *Nineteenth Century Magazine*[25] dos breves ensayos intitulados *On the Inspiration of Scripture* que abordan dos puntos: 1. La inspiración de la Escritura y el alcance de dicha inspiración, 2. El papel del Magisterio como autoridad en la interpretación de la Escritura. Newman resumió su pensamiento de la manera siguiente:

> Estos dos Concilios [Trento y Vaticano I] deciden que la Escritura está inspirada y totalmente inspirada, pero no agregan a su decisión que está inspirada por un acto divino inmediato, sino que dicen que está inspirada por medio de la instrumentalidad de hombres inspirados; que está inspirada en cuestiones de fe y moral, con lo cual no solamente se pretende significar la doctrina teológica, sino también los relatos históricos y proféticos que contiene la Escritura, desde el Génesis hasta los Hechos de los Apóstoles.

La segunda parte de la cita se refiere al asunto del error en la Sagrada Escritura, asunto que el papa León XIII abordó en su carta encíclica *Providentissimus Deus* (1893). Al aumentar los estudios en ciencias históricas e idiomas bíblicos, se acentuó la necesidad de encontrar explicaciones para los aparentes errores bíblicos contenidos

---

[23]   *Ibid.*, p. 12.
[24]   Decretos del Concilio Vaticano Primero, Sesión 3, c. 2.
[25]   J. H. Newman, "On the Inspiration of Scripture", en *The Nineteenth Century,* vol. 15, núm. 84, febrero 1884. Se cita la edición estándar de la obra de Newman, *On the Inspiration of Scripture, Essay II,* p. 40.

en ciertas afirmaciones de la Biblia, por ejemplo, cuando el libro de Judith (Jdt 1,7) menciona a Nabucodonosor como rey de Nínive. En dicho ensayo, Newman se refiere a las afirmaciones *obiter dicta* ("dicho sea de paso") que probablemente carezcan de significado histórico, como cuando san Pablo deja su manto en Troas (2 Tim 4,13) o cuando el perro de Tobit mueve la cola (Tob 11, 9), sin por ello proponer como hipótesis la inspiración parcial de las Sagradas Escrituras.

Como respuesta al profesor irlandés de Maynooth College que reprendió a Newman por su explicación de la verdad bíblica, Newman expresó lo siguiente:

> Por último, siendo inspirada en tanto que fue escrita por hombres inspirados, tiene un lado humano, que se manifiesta en el lenguaje, el estilo, el tono y carácter del pensamiento y otras peculiaridades intelectuales, y tiene además las debilidades que, sin ser pecado, pertenecen a nuestra naturaleza, y todo ello aparece en esos asuntos sin importancia que la definición doctrinal llama *obiter dicta*. Al mismo tiempo, puesto que el don de la inspiración es divino, el católico nunca debe olvidar que, en un sentido verdadero, está manejando la Palabra de Dios, la cual, como lo señalé en mi Artículo, 'por razón de la dificultad de dibujar una raya entre lo humano y lo divino, no se puede poner al nivel de otros libros, como lo hace la moda de ahora, sino que tiene la naturaleza de un Sacramento, que es exterior e interior, siendo un canal de gracia sobrenatural'. Es por ello que la segunda gran definición de los Concilios, sobre la cual insisto en mi Artículo, es tan importante, puesto que la interpretación autorizada de la Escritura corresponde a la Iglesia.

Newman hacía muchos matices al explicar los *obiter dicta*, asunto que más adelante se conoció como la cuestión bíblica o la historicidad de la Biblia. Subrayó su creencia en que toda la Escritura es texto inspirado, no solamente en cuestiones de fe y moral, sino también en cuestiones de hecho, a saber, los relatos históricos y los milagros. Explicaba que tales cuestiones de hecho también sirven para la salvación, y que toca a la Iglesia decidir sobre el significado de textos específicos. De forma explícita, salvaguardó la verdad fáctica de los

milagros. En una larga cita sobre este tema hace referencia a la doctrina de las formas literarias; si bien no usa el término como tal, se
vale de dicha doctrina para explicar que la verdad en la Escritura se
presenta a través de diversos modos por medio de autores humanos.[26]

No obstante, el pensamiento de Newman sobre la verdad bíblica
fue malinterpretado y tergiversado en su propio siglo XIX, y posterior-
mente en el XX.[27] Se consideró que cuestionaba la verdad bíblica y que

---

[26] Newman no constriñe la inspiración de las Escrituras. Así pues, escribió: "*Obiter
dicta*, tal como yo entiendo, es una frase que, declarando hechos literales o no, por
sus circunstancias no obliga a nuestra fe. Queda claro que, tal como entiendo los
obiter dicta, estos no nos obligan a afirmar o negar en el sentido literal, ni nos pro-
híbe salir del todo del sentido literal, para tomar, si así lo preferimos, una segunda,
tercera o cuarta interpretación entre las muchas que tenemos a la mano (siempre
que la Iglesia no las prohíba), como lo demostraré a continuación a partir de santo
Tomás". *On the Inspiration of Scripture, Essay II*, pp. 40-41. Más adelante, dice:
"¿Están incluidas las afirmaciones sobre hechos históricos? Sonrío al pensar que
alguien pueda suponer que soy lo suficientemente absurdo como para excluirlas,
en especial siendo que, en un largo pasaje de mi ensayo, los incluyo de manera
expresa".(47). En referencia a santo Tomás de Aquino (S Th. Q 102) Newman escribió: Observemos lo que se sigue de esto. Al dar una *regla* o *prueba* de la *verdad* de
una afirmación histórica, santo Tomás deja implícito que hay, o por lo menos puede
haber, afirmaciones que ni contienen ni pretenden contener verdades históricas. Si
en un desfile militar me dijeran: "¿Reconoces a los ingleses por sus casacas rojas?",
¿no podría esto implicar que sobre el terreno hay tropas que *no* son inglesas y *no*
visten de rojo? De manera semejante, cuando santo Tomás dice que la prueba de
la verdad histórica es el autor inspirado que escribe en estilo histórico, ciertamente
está dejando implícito que hay, o puede haber, afirmaciones de hechos que, en
sentido literal, están fuera del estilo histórico y de la verdad histórica, y a eso es a
lo que llamo *obiter dicta*. Lo repito, *obiter dicta* no son sino "afirmaciones ahistóri-
cas". *On the Inspiration of Scripture, Essay II*, p. 56.

[27] Pudiera ser que *On the Inspiration of Scripture*, publicado en el diario *The Nineteenth Century*, no haya llamado la atención de muchos teólogos. En la segunda
parte del siglo XX, James Tunstead Burtchaell arguyó que Newman sostenía lo que
Butchaell llamaba la "inspiración parcial" de las Escrituras. Así pues, escribió: "De
hecho, Newman estaba dando su respaldo a la opinión de que la inspiración era
parcial y que se limitaba a cuestiones de fe y moral". Véase *Catholic Theories of
Biblical Inspiration Since 1810: A Review and Critique*, Cambridge, Cambridge
University Press, 1969, p. 76. Miguel Ángel Tábet también malinterpretó el parecer
de Newman sobre ese tema. Véase. M. A. Tábet, *Introducción general a la Biblia*,
Madrid, Palabra, 2004, p. 110.

acotaba la inspiración de ciertos pasajes de la Escritura.[28] Así pues, en vista de estos malentendidos e incomprensiones, y de su anterior enseñanza sobre el *consensus fidei*, la posición de Newman entre los eruditos católicos en vísperas del Vaticano II oscilaba entre el elogio y la sospecha. Ahora podemos dedicar nuestra atención a la importancia que esto tiene y sobre la resonancia que tuvo en *Dei Verbum*.

La constitución *Dei Verbum*

La constitución *Dei Verbum* del Vaticano II es el primer documento magisterial que aborda por extenso la Revelación y su contenido. A lo largo de las cuatro sesiones del Vaticano II, *Dei Verbum* fue el resultado de largos años de razonamiento teológico y de años de debate y discernimiento. No obstante, la constitución no apareció de la nada, siendo continuación de *Dei Filius*, promulgada un siglo antes por el Vaticano I.

La enseñanza de *Dei Filius* en torno a la Revelación conserva el tono defensivo y apologético que también se encuentra en los documentos del Concilio de Trento, lo cual es comprensible. En terminología escolástica presenta verdades acerca de Dios, la Revelación y la fe, mientras que brilla por su ausencia una presentación de la autorrevelación de Dios, de manera preeminente en la Encarnación. Un experto biblista, Ignace de la Potterie, señaló en 1965 que, si bien

---

[28]   La refutación de Newman a John Healy, profesor de Maynooth, se puede aplicar a todos aquellos que piensan que Newman restringe la inspiración a verdades doctrinales: "Así como no me atrevería a faltar el respeto a los Padres antes mencionados [san Agustín y santo Tomás], mucho menos me atrevería a hablar en contra de la enseñanza de la Iglesia; y así, lo que la Iglesia enseña en los dos Concilios Ecuménicos de una vez por todas, en el intervalo de trescientos años, y en circunstancias muy diferentes de la sociedad humana, es que la inspiración divina de las Escrituras se ha de asignar especialmente *rebus fidei et morum*, y me alarma encontrar a un profesor católico que asegure que dicha afirmación dogmática es, como lo llama, una *restricción*". *On the Inspiration of Scripture, Essay II*, p. 58.

Dei Filius expresa verdades, no presenta a la Revelación dentro de la categoría de historia, es decir, como historia de la salvación.[29]

Además del conducir al redescubrimiento del concepto de historia de la salvación, los años que mediaron entre el Vaticano I y la inauguración del Vaticano II conocieron los más importantes desarrollos y debates en los movimientos bíblicos católicos, así como el uso de métodos modernos de investigación histórico-crítica. Los exégetas de la Biblia estaban interesados en conservar la mayor libertad que consideraban se les había otorgado por medio de la encíclica *Divino afflante Spiritu* (1943) de Pío XII, la cual incluía una mayor apertura hacia el método histórico-crítico y, por tanto, un enfoque diferente en las cuestiones de la autoría divina, inspiración e infalibilidad de la Biblia.[30]

En 1960, la Comisión Teológica del Concilio estableció una subcomisión que trabajó intensamente en la preparación de un esquema sobre la Revelación, el *De fontibus revelationis* (*De fontibus*), para discusión en el Concilio.[31] El texto final acabó por ser un combinado con notorias inconsistencias y omisiones.[32] Al igual que *Dei Filius*, este borrador dejaba sin explicar qué es la Revelación en sí misma y qué es lo que contiene, presentando la Revelación como una comunicación por parte de Dios, más que su autorrevelación, y enfatizando proposiciones sobre la Revelación en un lenguaje técnico, más que presentar la revelación de Dios sobre Sí mismo con el lenguaje llano de la Escritura. Más aún, el esquema carecía del tono ecuménico que deseaban el papa Juan XXIII y numerosos padres del Concilio.

---

[29] I. de la Potterie, "La scrittura e il 'Dei Verbum'", Roma, Domus Mariae, 29 de noviembre de 1965.

[30] Véase K. Schelkens, *Catholic Theology of Revelation on the Eve of Vatican II, A Redaction History of the Schema de Fontibus revelationis (1960-1962)*, Boston, Brill, 2010, pp. 118-119.

[31] La subcomisión estaba formada por teólogos de diversas universidades que representaban diferentes opiniones teológicas. En el núcleo estaban Lorenzo di Fonzo, Giorgio Castellino, Alexander Kerrigan, Salvatore Garofolo, Damien van den Eynde, Lucien Cerfaux y Ernst Vogt.

[32] Véase Schelkens, p. 147.

Trabajando al servicio de varios obispos, Joseph Ratzinger, Karl Rahner y Edward Schillebeeckx prepararon una crítica del borrador *De fontibus*, que fue rechazado por un gran número de padres conciliares. En consecuencia, Juan XXIII lo retiró de las discusiones del Concilio y estableció una comisión conjunta, compuesta por miembros de la Comisión Teológica y del Secretariado para la Unidad de los Cristianos, para que prepararan un nuevo documento de trabajo para los miembros del Concilio.

Algunos de los asuntos en la mente de los teólogos y padres del Concilio versaban sobre temas no resueltos por la teología o apenas abordados por el Magisterio:

1 ¿Qué se puede decir sobre la verdad de la Escritura (inerrancia)?
2 ¿Cuál es la naturaleza de la inspiración y cuáles sus efectos sobre las verdades bíblicas?
3 ¿Cuál es la fuente de la Revelación? ¿Es una fuente única o es doble?
4 En relación con esto, ¿es la Escritura materialmente suficiente? ¿Contiene todas las verdades necesarias para la Salvación o la Tradición es también necesaria para alcanzar dichas verdades?
5 ¿Cuál es el papel del Magisterio en su interpretación y cuál es su relación con la Tradición?
6 ¿Qué hay de la historicidad de la Escritura y el uso de métodos histórico-críticos para la exégesis?
7 ¿Qué uso debe hacer la Iglesia de la Escritura?

El documento que resultó de la comisión conjunta en 1963 no se votó en el Aula, sino que la Comisión Doctrinal lo confió en 1964 a una subcomisión de siete miembros del Concilio y *veinticuatro periti*, presidida por el arzobispo de Namur, André M. Charue.[33] Dos

---

[33] Uno de los miembros fue Christopher Butler, abad de Downside y presidente de la Congregación benedictina inglesa, quien conocía bien la obra de Newman.

secciones integraban la subcomisión.[34] Presidía la primera Ermene-
gildo Florit, arzobispo de Florencia, quien solicitó al teólogo jesuita
Pieter Smulders que preparara una versión revisada del prólogo y
el primer capítulo.[35] Smulders pudo incorporar al texto ideas que
había presentado ante los obispos de Indonesia, quienes a su vez habían pedido que se incluyeran en una versión revisada. Estas ideas
subrayaban el mensaje salvífico y la concentración cristológica de la
Palabra de Dios.[36]

Yves Congar trabajó extensamente en el capítulo II, junto con
Karl Rahner, Umberto Betti y H. Schauf. Además de estos teólogos,
los nombres de Joseph Ratzinger, Edward Schillebeeckx, Henri de
Lubac y Jean Daniélou están especialmente vinculados con esta constitución, puesto que escribieron críticas del esquema inicial y, más
tarde, en 1964, trabajaron sobre secciones de la versión final, votada
por los padres del Concilio en la cuarta sesión.[37]

Durante la última sesión del Concilio, antes de que se votara
el texto, el Papa pidió a la Comisión Teológica que se reuniera para
trabajar sobre tres puntos importantes, considerando que necesitaban
aparecer con mayor claridad en los artículos 9 (sobre la tradición), 11
(sobre la inerrancia) y 19 (historicidad de los Evangelios).[38] El 18 de
noviembre de 1965, los padres del Concilio votaron 2 344 contra 6 en
favor de aceptar la Constitución sobre la Divina Revelación y el Papa
la promulgó de inmediato.

---

[34] Congar presenta una lista de nombres en Y. Congar, *My Journal of the Council*, Adelaida, ATF Press, 2012, p. 504.

[35] *Dei Verbum, Developing Vatican II Revelation Doctrine, 1963-1964*, en D. Kend-all y S. Davis (eds.), *The Convergence of Theology, A Festchrift Honoring Gerald O'Collins*, SJ, Nueva York, Paulist Press, 2001, p. 110. Smulders consultó a los *periti* belgas L. Cerfaux y A. Prignon, y después envió el texto a Umberto Betti, secretario de la sección de Florit.

[36] J. Wicks, "Vatican II on Revelation", en *Investigating Vatican II, Its Theologians, Ecumenical Turn and Biblical Commitment*, Washington, 2018, pp. 88-90.

[37] *Ibid.*, pp. 91-96.

[38] R. M. Wiltgen, *The Inside Story of Vatican II* (título anterior: *The Rhine flows into the Tiber*), Charlotte, Carolina del Norte, TAN Books, 1978, pp. 259-273.

El cuadro que aparece más adelante presenta algunos puntos clave de *Dei Filius*, de los escritos del cardenal Newman y de *Dei Verbum*, acerca de temas como la Revelación, la inspiración, la transmisión de la Revelación y el Magisterio. Sugiere cómo, en términos generales, Newman se anticipó a algunos de los puntos importantes que se presentan en *Dei Verbum*.[39] Para abordar esta cuestión sería preciso el estudio detallado de un vasto número de textos de Newman, lo cual rebasa los alcances de este capítulo. Comoquiera, el cuadro da idea de la claridad y riqueza de la comprensión y las enseñanzas de Newman en esta materia, que iban más allá de la enseñanza del Vaticano I al explicar la naturaleza histórica de la Revelación, al tiempo que insistían en la persona de Cristo, en la compleja redacción de las Escrituras y en las limitaciones humanas de los autores inspirados.

El cuadro enfatiza cinco aspectos. El primero, ya mencionado, es que Newman defendía la necesidad de la doctrina y reconocía el sistema de fe y culto de la temprana Iglesia. Así escribió: "Si hay Revelación, tiene que haber doctrina, así nos lo dicen la razón y el corazón".[40] Naturalmente, estaba de acuerdo con la enseñanza de *Dei Filius* sobre la objetividad y cognoscibilidad de la teología natural y del hecho de una revelación sobrenatural; no obstante, al igual que lo hace *Dei Verbum*, pone el énfasis en el hecho de que la Revelación no es sino Dios que se revela a sí mismo en la persona de Jesucristo, más que una serie de afirmaciones acerca de las verdades de Dios. En sus propias palabras: "Aquello que ha sostenido a los católicos, a los doctores de la Iglesia junto con los apóstoles,

---

[39]   Beaumont enumera algunos de los paralelos entre los escritos de Newman y *Dei Verbum*. Escribe: "Sin la intención de ver en Newman una presencia que merodea todo el tiempo sobre las alas del Concilio, lo menos que se puede decir es que la Constitución Dogmática sobre la Divina Revelación *Dei Verbum* es casi un total reflejo de sus ideas y las justifica plenamente. K. Beaumont, "Newman's Reflections on Biblical Inspiration", *Newman Studies Journal* 11.1(2004): 15.

[40]   *Discussions and Arguments on Various Subjects,* p. 132.

no es la multitud de cánones y decretos en cuestiones teológicas, sino, y lo repetimos, Cristo mismo, tal como se representa su existencia concreta en el Evangelio".[41]

El segundo aspecto es que Newman, al igual que el Vaticano I, enseña el papel de la Iglesia en lo que respecta a la Revelación. "Así es que nos introducimos al segundo dogma relativo a la Sagrada Escritura, como lo enseña la religión católica. El primero es que la Escritura es inspirada; el segundo, que la Iglesia es el *intérprete infalible*[42] de dicha inspiración".[43] Sin embargo, va todavía más lejos, al anticiparse al Vaticano II cuando, en el último de los *Oxford University Sermons*, hace referencia a la manera en que la Iglesia comprende las Escrituras y al desarrollo de la doctrina. "Allí mora; no le basta con poseer, sino que utiliza; no le basta con asentir, sino que *desarrolla*". *Dei Verbum* expresa en palabras semejantes esta doctrina, valiéndose de la misma referencia a la Virgen María en Lc 2, 19-51 que Newman utiliza.[44] Un corolario importante presente en la doctrina de Newman es el papel autoritativo y constitutivo que tiene la tradición, cuestión que trata con amplitud en *Essay on the Development of Christian Doctrine* y en muchos otros textos que salen de los límites del presente capítulo.

El tercer aspecto es que, al explicar la inspiración, Newman sostiene que la Biblia tiene como autor principal a Dios, mientras que los humanos son autores secundarios bajo la inspiración del Espíritu Santo, sin mantener por ello que la doctrina de la inspiración sea un "dictado del Espíritu Santo".[45] Sus escritos sobre la materia, publica-

---

[41] *Ibid.*, p. 388.

[42] Las cursivas son nuestras.

[43] *On the Inspiration of Scripture, Essay I*, p. 190.

[44] "Hay crecimiento en la comprensión de las realidades y las palabras que nos han sido entregadas. Esto sucede a través de la contemplación y el estudio de los creyentes, que atesoran estas cosas en sus corazones (véase Lc 2, 19-51) por medio de una penetrante comprensión de las realidades espirituales que experimentan". Concilio Vaticano II, Constitución *Dei Verbum*, Ciudad del Vaticano, 1965, n. 8.

[45] "Más aún, esta revelación sobrenatural, de acuerdo con la creencia universal de la Iglesia tal como fue declarada en el Santo Sínodo de Trento, está contenida en los libros escritos y en las tradiciones no escritas que han llegado hasta nosotros, y

dos o no, están en sintonía con los del Vaticano II, que expresan una visión más completa de la inspiración cuando dicen que Dios "hizo uso de sus poderes y capacidades, de modo que actuando en ellas y a través de éstas, ellos, en tanto que verdaderos autores, se dieron a escribir todo lo que Él quiso y solamente aquello que Él quiso".[46]

En cuarto lugar, en referencia explícita a los milagros de Cristo, Newman subraya la naturaleza histórica del Antiguo y el Nuevo Testamento, y, al igual que lo hace *Dei Verbum*, insiste en la unidad de ambos Testamentos y en cómo la Antigua Alianza prefigura y alcanza cumplimiento en la Nueva Alianza. Si bien no usa la expresión "hechos y dichos" que repite el texto conciliar, en sus escritos es patente que insiste sobre la Encarnación y la historicidad de la Revelación.

Por último, como más tarde lo hizo *Dei Verbum*, a Newman le interesaba que los estudiosos católicos estuvieran en libertad para adentrarse en el estudio histórico y literario de la Escritura, naturalmente sin contravenir la doctrina de la Iglesia. Reconoce que los Padres de la Iglesia favorecieron la interpretación alegórica de las Escrituras, al tiempo que se percataba de la necesidad de entender y reconciliar un conjunto creciente de hallazgos y afirmaciones sobre cuestiones históricas y literarias de la Biblia. También en esto Newman se anticipó al magisterio conciliar, al buscar un acercamiento equilibrado a la exégesis bíblica. Otro rasgo característico de su predicación y sus escritos era el fomentar en los cristianos la lectura y meditación de la Biblia. Más aún, así como el Vaticano II alentó nuevas traducciones de la Biblia, en 1857 Newman comenzó una traducción de la Biblia al inglés. Lamentablemente, este trabajo quedó en suspenso al faltar el apoyo del cardenal Nicholas Wiseman, arzpobispo de Westminster.

---

fueron recibidas por los Apóstoles de labios de Cristo mismo o de otros apóstoles, bajo el dictado del Espíritu Santo, y así han sido transmitidas, por así decirlo, de mano en mano..." Concilio Vaticano I, Constitución *Dei Filius*, cap. 2.
[46] *Dei Verbum*, n. 11.

Cuadro 1

	• **Dei Filius** (1870)	Newman, *On the Inspiration of Scripture* (1884) y otros textos[47]	*Dei Verbum* (1965)
Revelación	• Cognoscibilidad, luz natural de la razón (c. 4) • Como *locutio* • Como **proposiciones** de verdades divinas • "Indicios exteriores de Su revelación, esto es, actos divinos, primordialmente milagros y profecías"	• Sobre Dios y **Jesucristo** "Existencia concreta en el Evangelio", *DA*, p. 388; *Callista*, p. 326 • "La idea católica" • (la persona de Cristo), • *US*, p. 336; *GA*, pp. 82-83 • "Si hay Revelación, • entonces debe haber doctrina", • *DA*, p. 132	• Como *revelatio* (c 1: n. 2-6) • Dios se revela a sí mismo en hechos y dichos, n. 2-4 • Como **Verbo Encarnado**, n. 18
Transmisión	• "En cuestiones de **fe y moral**, en tanto que se refieren al establecimiento de la doctrina cristiana, el **sentido de las Sagradas Escrituras** ha de sostenerse como el sentido verdadero, que la santa madre Iglesia poseyó y posee" (c. 2)	Sobre desarrollo: "Ahí mora; no le basta con poseer, sino que usa; no le basta con asentir, sino que *desarrolla*", *US*, p. 313 • Interpretación del Magisterio. "Así es que nos introducimos al segundo dogma relativo a la sagrada Escritura, tal como lo enseña la religión católica... que la Iglesia es el **intérprete infalible** de dicha inspiración", p. 190 • Sobre el papel de la tradición, p. 41	• Sobre desarrollo: "Hay **crecimiento** en la comprensión de las realidades y las palabras que nos han sido entregadas. Esto sucede a través de la contemplación y el estudio de los creyentes, que atesoran estas cosas en su corazón" (véase Lc 2, 19-51) n. 8 • Sobre el depósito sagrado: Tradición y Escritura, n. 10 • Sobre **auténtica interpretación** (c. 3)

---

[47] Las citas provienen de las siguientes obras de Newman: *On the Inspiration of Scripture* salvo que se haga referencia a *Callista, Discussions and Arguments (DA), Grammar of Assent (GA), Oxford University Sermons (US)* y *Arians of the Fourth Century (Arians), The Theological Papers of John Henry Newman on Biblical Inspiration and on Infallibility (TP)*.

Inspiración			
	• Revelación sobrenatural "contenida en libros escritos y tradiciones no escritas, **recibidas por los apóstoles** de labios de Cristo mismo, o que llegaron a los apóstoles por **dictado** del Espíritu Santo" (c. 2) • "Habiendo sido escritas bajo la **inspiración del Espíritu Santo**, tiene a Dios como autor (c. 2)	• Sobre autores humanos y autor divino, *TP*, p. 24 • "Imaginación instruida por lo divino", *Arians*, p. 58 • "Considera tales hechos en relaciones que no pueden ver ni los antiguos escritores clásicos griegos y latinos ni los modernos como Niebuhr, Grote, Ewald o Michelet... Desde este punto de vista, **la Escritura es inspirada no sólo en lo que respecta a fe y moral, sino en todas aquellas partes** que incidan sobre la fe, incluidos ciertos hechos", p. 190 • Sobre *Obiter dicta*, p. 198 • "Los Concilios de Trento y Vaticano cumplen esta anticipación; nos dicen distintivamente el objeto y la promesa y de la inspiración de la Escritura. Especifican que "**fe y moral**" son derivaciones de la enseñanza que está garantizada por la inspiración", p. 189 • La Revelación tiene "naturaleza de Sacramento",[48] p. 192	• "Los hombres... usan sus potencias y capacidades de manera que Él **actúa en ellos y a través de ellos, y ellos, en tanto que autores verdaderos,** ponen por escrito solamente aquello que Él quiso", n. 11 • "Hay que reconocer que los libros de la Escritura son enseñanza sólida, fiel y **sin error** de la verdad que Dios quiso que se pusiera en los escritos sagrados **en aras de la salvación.**" • "El intérprete debe investigar cuál era el sentido que el autor sagrado pretendía expresar y realmente expresó en circunstancias particulares, y para ello ha de **hacer uso de las formas literarias contemporáneas** de acuerdo con la circunstancia de su propio tiempo y cultura." • "Por medio de Su revelación, aquellas verdades religiosas que por su naturaleza son accesibles a la razón humana pueden ser conocidas con toda facilidad por todos los hombres, con sólida certidumbre y **sin traza alguna de error**", n. 12.

---

[48] El 30 de septiembre de 1964, el arzobispo Florit hizo referencia en el Aula a la "naturaleza sacramental" de la Revelación. Véase J. Wicks, *The Convergence of Theology, A Festschrift Honoring Gerald O'Collins, S. J.*, p. 113.

Antiguo Testamento		Naturaleza **histórica** de la Biblia en su totalidad Religión natural y religión revelada, GA, pp. 486-488 **Expectación por un mesías en el Antiguo Testamento**, GA, pp. 432-440	• Dios hace una **alianza** con el hombre (c. 4) Se manifiesta a sí mismo por **hechos y dichos**, los profetas • Inspiración divina • Presenta tipos de Cristo • **Unidad entre el Antiguo y el Nuevo Testamento**
Nuevo Testamento		**Naturaleza** histórica del Evangelio, DA, p. 388; y de los milagros evangélicos, p. 198	• Cristo estableció el Reino, manifestó a Su Padre y así mismo por **hechos y dichos** • Origen apostólico e inspiración del Espíritu Santo • Carácter **histórico** del Evangelio (c. 5)
Vida de la Iglesia	• "Se han de creer todas aquellas cosas que están contenidas en la palabra de Dios tal como se encuentran en la Escritura y la tradición, y que la Iglesia propone como cuestiones de fe en tanto que divinamente reveladas." (c. 3) • "La Iglesia no prohíbe que dichos estudios empleen, dentro de su propia área y sus propios principios y métodos; no obstante, si bien permite esta justa libertad, tiene especial cuidado en que no se infecten con errores que entren en conflicto con la divina enseñanza" (c. 4)	• "Es de mi especial interés para este estudio el **deseo de ayudar** a los religiosos hijos de la Iglesia que **participan en la crítica bíblica y sus estudios auxiliares**", p. 187	• Sobre la veneración de la Escritura • **Fácil acceso** para todos los fieles • "La Iglesia, a quien el Espíritu Santo enseña, se interesa en avanzar hacia una **comprensión más profunda** de la Sagrada Escritura", n. 23 • "Los **exégetas católicos** y otros estudiosos de la santa teología, colaborando con diligencia y utilizando los medios apropiados, deberán dedicar su energía, bajo la atenta vigilancia del sagrado oficio de enseñar de la Iglesia, a la exploración y exposición de los textos sagrados", n. 23

Influencia directa de Newman sobre *Dei Verbum*

Además de haber contribuido a la renovación de la teología al regresar a sus fuentes, Newman influyó sobre los teólogos de ciertos grupos de idiomas; dicha influencia se puede rastrear hasta la época que pasó en Roma y a la subsecuente traducción de su obra en los países que hablan alemán, francés y holandés. En un minucioso análisis del desarrollo de la doctrina, Aidan Nichols O.P. demostró que el tratamiento de Newman sobre el tema fue el primero de sustancia en haber sido hecho, así como el punto de partida para otros estudios de los siglos XIX y XX.[49]

Newman estudió en la Propaganda Fidei de Roma y recibió el orden presbiteral en 1847. En Roma discutió su entonces reciente y novedoso trabajo, *The Essay of Development on Christian Doctrine* (1845), con Giovanni Perrone, profesor de dogma y rector del Colegio Romano.

Newman y Perrone sostuvieron otras discusiones. Tan sólo unos cuantos años después, en 1859, Newman escribió el ensayo *On Consulting the Lay Faithful in Matters of Doctrine*, donde enseña que, junto con los obispos, el conjunto de los fieles conserva el depósito de la fe, siendo los obispos quienes cuentan con el carisma o función de enseñar con autoridad, mientras que los laicos son testigos y custodios de la Tradición. Después de que Newman señalara a Perrone que él (Perrone) no mencionaba el *consensus fidelium* como *locus theologicus* en sus escritos, Perrone insistió en esta enseñanza, aunque la entendía de manera diferente. J. B. Franzelin, profesor en Roma a partir de 1851, y Scheeben insistieron sobre este punto. Franzelin hablaba de una tradición activa, en la cual el papel principal correspondía al Magisterio mediante la transmisión activa de una tradición objetiva.[50]

---

[49] A. Nichols, *From Newman to Congar, The Idea of Doctrinal Development from the Victorians to the Second Vatican Council,* Londres, T&T Clark, 1990.

[50] Congar explica que esta es la misma línea de pensamiento que siguió el Vaticano I al identificar la tradición activa y la regla de fe. Véase Y. Congar, *Tradition and Traditions,* p. 198. Esto se enfatiza: "Los Padres y el canon primitivo se consideran

De esta manera, Franzelin concentraba la Tradición en el Magisterio, haciendo de la Tradición el equivalente de una regla de fe. Ésta fue una novedosa enseñanza que hubo de ser corregida en *Dei Verbum*.

A la luz de los escritos y de la talla de Newman en general, no es sorprendente que el papa Pío IX y numerosos obispos lo invitaran como teólogo al Vaticano I, aunque Newman declinó las invitaciones. Esto puede explicarse por diversas razones. A causa del ensayo *On Consulting the Lay Faithful in Matters of Doctrine* fue denunciado por Joseph Brown, obispo de Newport, ante el cardenal A. Barnabò en Roma (la Congregación Romana para la Propaganda). A Newman le disgustó la manera en que la curia romana trataba a los teólogos, así como su manera insular de acercarse a ciertas cuestiones. Enfrentó pues dificultades similares a las que, en el Vaticano II, debieron enfrentar los obispos de fuera de la curia y los teólogos. En su diario del Concilio, Congar apunta la triste ausencia de Newman, Matthias Scheeben e Ignaz von Döllinger en el Vaticano I. En circunstancias diferentes, era altamente probable que Newman hubiera hecho valiosas contribuciones al Vaticano I.

Incluso con la evidencia a la mano, es difícil juzgar cuán conocidos eran los escritos de Newman, incluso en las escuelas de teología de Roma y en la primera mitad del siglo XX. Desafortunadamente, parece ser que, por lo menos en lo que respecta a la Escritura, se le asoció principalmente con una comprensión equivocada de su concepto de *obiter dicta*. Otra posible razón para que los teólogos de Roma en vísperas del Vaticano II no se refirieran más a Newman sobre el tema de la Escritura es que, aparte del breve ensayo *On the Inspiration of Scripture*, no tenía un tratado sobre la Divina Revelación. El ensayo largo de 1861-1863 que lleva el mismo título permanecía inédito en aquel tiempo y, por tanto, era desconocido. Incluso así, algunos teólogos de Roma estaban familiarizados con los escritos de Newman.

---

menos como órganos inspirados de la tradición que como testigos de una tradición que consiste en la enseñanza presente del magisterio". *Ibid.*, p. 182.

Uno de estos teólogos era el salesiano Giorgio Castellino, profesor de exégesis en el Athenaeum Romanum Sanctae Crucis de Roma, a quien se le encargó el tercer capítulo del esquema *De fontibus*, sobre géneros literarios y métodos de crítica literaria en el estudio de las Escrituras. En 1949 había publicado un libro, *L'inneranza della S. Scritture. Esposizione storico-critica degli ultimi 60 anni*, que ofrecía un panorama general de los escritos sobre dicho tema por Newman, R. D'Hulst, Marie-Joseph Lagrange y A. van Hoonacker.[51]

Otros profesores, que primero enseñaban en Lovaina pero después pasaron a Roma, fueron Lucien Cerfaux e Ignace de La Potterie.[52] Cerfaux, doctor por la Universidad Gregoriana que por muchos años enseñó exégesis en Lovaina, desempeñó un importante papel en el primer borrador de *De fontibus*, donde argumentaba en contra de la "infalibilidad absoluta" de las Escrituras. Según Cerfaux, las Escrituras son infalibles en tanto que Dios mismo es infalible; no obstante, en tanto que, como otros textos, fueron compuestas de modo humano, en cierta medida eran falibles.[53] El exégeta belga sostenía que los autores de textos bíblicos no se atenían al mismo concepto de crítica historiográfica que se aplica en nuestros días.[54] Newman había dicho lo mismo seis décadas antes.[55]

---

[51] Véase K. Schelkens, *Catholic Theology of Revelation on the Eve of Vatican II, A Redaction History of the Schema De Fontibus revelations (1960-1962)*, Boston, Brill, 2010, p. 141. Según Schelkens, Castellini presenta una "balanceada *Via Media*".

[52] Antes de que comenzara el Vaticano II, pudieron haber conocido a Newman muchos otros biblistas de Roma, que representaban diferentes escuelas de pensamiento y estaban enzarzados en el acalorado debate entre la Univesidad de Letrán y el Instituto Bíblico. Francisco Spadafora sostenía desde Letrán la infalibilidad absoluta de la Escritura. Luis Alonso Schökel, profesor de Antiguo Testamento en el Instituto Bíblico, defendía la necesidad de métodos críticos para el estudio de los géneros literarios de la Escritura, invocando el apoyo que para ello daba la encíclica *Divino Afflante Spiritu*.

[53] Véase K. Schelkens, pp. 155-156. Es notable que los artículos teológicos de Cerfaux (*Recueil Lucien Cerfaux*) no mencionen a Newman en el índice.

[54] Véase L. Cerfaux, *Adnotationes ad constitutionem de scriptura*, 8, en K. Schelkens, p. 138.

[55] "Considera tales hechos en relaciones que no pueden ver ni los antiguos escritores clásicos griegos y latinos ni los modernos como Niebuhr, Grote, Ewald o Miche-

Después de señalar la recepción de Newman en Roma, pasemos ahora a considerar la manera en que fue recibido en el mundo de habla francesa y alemana, de donde provinieron los teólogos más influyentes del Vaticano II.

La recepción de Newman en Francia fue compleja. Ahí primero se le conoció por sus sermones y por su idea del desarrollo de la doctrina o, como escribió B. D. Dupuy, como "un escritor devocional".[56] Más adelante, a comienzos del siglo xx, aparecieron *La Renaissance catholique en Angleterre* (1903) de Paul Thureau-Dangin y la biografía de Henri Brémond titulada *The Mystery of Newman* (1907). Sin embargo, Brémond presenta a Newman por un solo lado.[57] Aparte de Brémond, otros pensadores como Auguste Sabatier y Alfred Loisy adoptaron el *Essay of the Development of Christian Doctrine* de Newman, aunque interpretando su idea del desarrollo en un sentido evolutivo y vitalista.

También durante este periodo a Newman se le tildó de modernista o, por lo menos, sospechaban que lo fuera jesuitas franceses como Léonce de Grandmaison y Jules Lebreton, mal guiados por Brémond.[58] No obstante, el *Dictionnaire de théologie catholique* (1931) le dedica una entrada muy larga, redactada por los oratorianos Henry Tristram y F. Bacchus, que abonó el terreno para una correcta recepción de Newman entre los teólogos franceses de mediados del siglo xx.[59]

En una bien documentada tesis, James Hurley (2010) ofrece pruebas que apoyan la conclusión de que tres teólogos franceses con

---

let... Desde este punto de vista, Dios es su autor, si bien el dedo de Dios no escribió más palabras que las del Decálogo. Con este argumento, la historia bíblica tiene que ser aceptada como verdadera en lo sustancial por los creyentes de buena fe. Desde este punto de vista, la Escritura es inspirada no sólo en lo que respecta a fe y moral, sino en todas aquellas partes que incidan sobre la fe, incluidos ciertos hechos." "On the inspiration of Scripture", *Essay I*, núm. 13.

[56] B. D. Dupuy, "Newman's Influence in France", en *Rediscovery of Newman: An Oxford Symposium,* Londres, Sheed & Ward, 1967, p. 148.

[57] *Ibid.,* la biografía de Brémond contaba con una introducción de George Tyrrell, S.J.

[58] B. D. Dupuy, pp. 168-169.

[59] H. Tristram y F. Bacchus, "Newman", *Dictionarie de théologie catholique* XI, 1931, cols. 327-398.

importante participación en el Concilio, Y. Congar, H. de Lubac y J. Daniélou, estaban familiarizado con el pensamiento de Newman. (Además de éstos, hubo eruditos francoparlantes bien conocidos en la época del Vaticano II, como Maurice Nédoncelle, Louis Bouyer y Jean Honoré, que habían estudiado a Newman.)

Los comentarios del dominico Yves-Marie Congar, uno de los teólogos más influyentes del Concilio, indican la luz bajo la cual consideraba a Newman. Al comentar el peso considerable que algunas personas están destinadas a tener sobre la historia, escribió: "Obviamente, tienen un lugar histórico: Newman, Teresa del Niño Jesús, De Foucauld, Paulo VI... Tienen un papel histórico notable, como estadistas y genios".[60]

En *La foi et la théologie*, Congar afirma que la recepción viva de la fe por parte "de los fieles y de la Iglesia sigue las condiciones del espíritu humano. La solidez del Ensayo de Newman proviene de su doble capacidad como historiador y como psicólogo. Newman sostiene sus puntos de vista sobre el análisis, que más o menos aparece a todo lo largo de su obra, de la estructura psicológica del conocimiento humano. El hombre compensa la debilidad de sus percepciones elaborando sobre éstas por medio de juicios y razonamientos".

En *Tradition and Traditions: Historical Essay*, una de sus principales obras, Congar distingue entre la exégesis sapiencial de los Padres y la estrecha exégesis literal de los reformistas del siglo XVI, citando a Newman en lo siguiente: "Subrayamos con mayor énfasis que ellos [los primeros Padres de la Iglesia] ciertos versículos de la Escritura, lo que se suele llamar "los textos", y construimos un sistema sobre ellos; en cambio, ellos reconocían una cierta verdad que se escondía bajo el tenor del texto sagrado en su conjunto, y que se hacía visible más o menos en este o en aquel versículo, según fuera. Nosotros vemos en la letra de la Escritura un fundamento, pero ellos veían un órgano de la verdad."

---

[60] Y. Congar, *Jean Puyo interroge le Père Congar: "une vie pour la vérite"*, París, Centurion, 1975, p. 166.

Congar reconocía que Newman comprendía correctamente el *consensus fidelium* como salvaguarda de la Tradición, así como el desarrollo en la comprensión de la doctrina. Escribió: "Con Newman si bien no fue el único, era y sigue siendo el *locus classicus* de la cuestión, las ideas de desarrollo se transformaron en una dimensión interna de la de Tradición. Hizo una contribución decisiva para el problema de la relación entre magisterio e historia dentro de la Tradición".[61]

En esta obra, publicada en dos volúmenes, el primero de 1960 y el segundo de 1963, Congar cita expresamente un pasaje clave de Newman en torno al desarrollo de la comprensión de la doctrina. El pasaje proviene del último de los *University Sermons* de Newman, en donde "presenta a María como el ejemplo perfecto de la fe receptiva". Congar consideraba a la Tradición como historia y desarrollo, viendo cuánto de lo que se transmite es recibido por un sujeto vivo y activo. Es probable que Congar haya escrito el borrador del parágrafo 8 de *Dei Verbum*, el cual, al igual que Newman, hace referencia a las palabras de san Lucas: "María atesoraba estas cosas en su corazón".[62] Así, pues, el pasaje del texto conciliar parece indicar una clara influencia de Newman.

En seguida, aparece Henri de Lubac, quien hizo estudios en Fourviere, la escuela jesuita de Lyon. En 1940, junto con Daniélou comenzó a publicar *Sources Chrétiennes* , una serie de ediciones críticas de los tempranos textos cristianos y de los Padres de la Iglesia. Sus libros *Catholicism* (*Catholicisme, Les Aspects Sociaux du dogme*, 1938) y *The Splendor of the Church* (*Méditation sur l'Église*, 1956), llenos de citas y referencias a Newman, muestran un amplio conocimiento y una fina apreciación de los distintos aspectos de la enseñanza de Newman. El teólogo francés da gran importancia a la unidad de la fe y a la unidad orgánica de los

---

[61] Y. Congar, *Tradition and Traditions,* Nueva York, Macmillan, 1967, p. 211.

[62] Ian Ker escribe: "No cabe duda de que solamente en un texto de Vaticano II se puede percibir la influencia directa de Newman: se trata del artículo 8 de *Dei Verbum*, donde el Concilio reconoce el hecho del desarrollo doctrinal". I. Ker, *Newman on Vatican II*, p. 2. Véase asimismo A. Mezaros, "Haec Traditio proficit: Congar's Reception of Newman in *Dei Verbum, 8*", *New Black Friars* 92(2011): 247-254.

dogmas; como Congar, también cita el último de los *University Sermons de Newman*, al tiempo que expresa asombro ante el desarrollo de la doctrina. De Lubac trabajó como consultor de la Comisión Preparatoria y después fue *peritus* del Concilio. No es de sorprender que en sus *Diarios del Concilio* haga múltiples referencias a Newman.

Por último, Jean Daniélou, otro jesuita, leyó lo escrito por Newman sobre las Escrituras. En 1954 fue miembro del tribunal de la tesis doctoral del fraile Jean Honoré sobre la teología espiritual de Newman. (Honoré, estudioso y biógrafo de Newman, llegó a ser obispo de Evreux y más adelante arzobispo de Tours.) Louis Bouyer, también estudioso y biógrafo de Newman, dirigió la tesis. Daniélou, Bouyer y Blanchet (otro de los miembros del tribunal) fungieron como *periti* en el Concilio. En 1954, Daniélou reseñó un estudio sobre la doctrina de la Escritura de Newman, escrito por Jaak Seynaeve.[63] En suma, conocía bien la doctrina de Newman sobre el tema de las Escrituras.[64]

Tras el debate de 1962 sobre las fuentes de la Revelación, cuando el papa Juan XXIII creó una comisión mixta para revisar el texto a detalle, Gabriel-Marie Garrone, arzobispo de Toulouse y miembro

---

[63] James P. Hurley escribe que el teólogo francés concluye su reseña del libro de Seynaeve afirmando que en él "la importancia de Newman para la historia de la interpretación de la Biblia aparece plenamente iluminada. Fue un gran iniciador que redescubrió la tradición de la exégesis patrística y que renovó su expresión, manteniéndose totalmente fiel a sus principios. Al mismo tiempo, comprendía la importancia de la crítica bíblica y de todo lo que pudiera contribuir a la comprensión de su sentido literal. Ciertamente, no podía ver claramente cómo balancear estos dos aspectos complementarios. La crítica bíblica que conocía todavía era rudimentaria y extrema (outrancière). Esto explica el porqué cierta parte de su obra carece de interés, mientras que el resto es valioso. No obstante, a fin de cuentas se asió a los dos extremos de la cadena. Dice que es un asombroso precursor, cuyo gran ejemplo podemos comprender después de un siglo de búsqueda (Et il est à cet égard un étonnant précurseur, dont nous comprenons maintenant le grand exemple après un siècle de tâtonnement)". J. P. Hurley, "Newman and Twentieth-Century French Theology", extracto de tesis doctoral, *Cuadernos Doctorales de la Facultad de Teología de la Universidad de Navarra* 61(2014): 64.

[64] J. Seynaeve, *Cardinal Newman's Doctrine on Holy Scripture According to his Published Works and Previously Unpublished Manuscripts*, Lovaina, W. F., Louvain Publication universitaire de Louvain, 1953.

de la comisión, pidió a Daniélou, experto en patrística y profesor del Institut Catholique de Paris, que redactara la sección introductoria. Elaboró un texto de siete párrafos que la comisión consideró era demasiado largo. En consecuencia, no se utilizó, pero las ideas que contenía el texto circularon y llegaron a ser incorporadas al nuevo borrador.[65] Así, es probable que, en alguna medida, Congar, De Lubac y Daniélou hubieran estudiado y utilizado las ideas de Newman sobre la Escritura.

Si bien su influencia entre los franceses fue fundamental, Newman también influyó de manera muy importante sobre el mundo de los teólogos de lengua alemana del siglo XX. Hurley ofrece una buena bibliografía de traducciones al alemán de libros de Newman, así como de obras sobre Newman en alemán publicadas desde la primera mitad del siglo XX en adelante. Entre éstas, las contribuciones de Matthias Laros y Erich Pryzwara resultan particularmente notorias.[66] A continuación, se hace una sucinta referencia a los teólogos que escribieron sobre Newman, o por lo menos lo presentaban en sus clases y lo estudiaban, sugiriendo así el efecto que tuvo sobre su pensamiento y su imaginación.

1. Pryzwara es un jesuita alemán nacido en Polonia; estudió a Newman y lo tradujo al alemán; también escribió libros sobre Newman. Equiparaba a Newman con san Agustín por el balance entre la trascendencia y la inmanencia del hombre y le consideraba, no solamente el modelo de una interacción creativa con el mundo moderno, sino como alguien que enfatizaba el problema fundamental de la teología católica moderna: la manera en que se concibe la relación entre la naturaleza y lo sobrenatural.[67]

---

[65]   J. Wicks, *Investigating Vatican II*, pp. 94 96.

[66]   Giuseppe Alberigo cita a Roger Aubert, quien afirma que Pryzwara fue quien introdujo a Newman en Alemania. G. Alberigo (ed.), J. A. Komonchak, *History of Vatican Council II*, vol. I, Maryknoll, Nueva York, Orbis Books, 1998, p. 473.

[67]   K. M. Vander Shel, "Eric Pryzwara on John Henry Newman and the Supernatural", en *Studies in Dogmatic Theology*, 2018, vol. 3, pp. 193-214 [en línea], dis-

2. Theodor Haecker, autor popular entre los seminaristas que se convirtió al catolicismo en 1921, tradujo al alemán obras de Newman. Alfred Laepple, Gottlieb Söhngen y Heinrich Fries son teólogos alemanes que también valoraron las obras y las reflexiones de Newman. Los tres tuvieron considerable influencia sobre Joseph Ratzinger[68] y los hombres de su generación.

3. En 1948, Fries, sucesor de Söhngen como profesor de teología fundamental en Munich, comenzó a publicar la serie *Newman-Studien*. Fries, cuya tesis trató sobre la filosofía de la religión de Newman, pensaba que Newman, como santo Tomás en su tiempo, "trató de salir al encuentro de los grandes movimientos e ideas de su tiempo, para ponerlas en viva relación con la Palabra de Dios y la vida cristiana."[69] Siguió a Pryzwara al "señalar que el problema de la fe solamente se puede resolver si filosofía y teología trabajan juntas" y que, al apoyar la fe sobre el argumento de la conciencia, se traza un camino que corre entre el racionalismo y el fideísmo. El filósofo de las religiones de nacionalidad alemana afirmó: "Aquello que Newman dice sobre la relación entre religión natural y religión revelada, así como acerca de los argumentos a favor de la revelación, es teología fundamental en el mejor de los sentidos.[70] Más aún, Fries pide a la teología alemana que siga a Newman al tratar de establecer el carácter histórico funda

---

ponible en <https://DOI:10.15290/std.2017.03.14>. Cfr. A. Persidok, "Entre Dios y la nada. El destino sobrenatural del hombre según Erich Przywara", *Scripta Theologica* 51(2019): 331-365. T. Rowland, "The Influence of John Henry Newman on Benedict XVI", *ABC Religion and Ethics,* 16 de sept., 2010 [en línea], disponible en <https://www.abc.net.au/religion/the-influence-of-john-henry-newman-onbenedict-xvi/10102100>.

68 T. Rowland, "The Influence of John Henry Newman on Benedict XVI", *ABC Religion and Ethics,* 16 de sept., 2010 [en línea], disponible en <https://www.abc.net.au/religion/the-influence-of-john-henry-newman-onbenedict-xvi/10102100>.

69 W. Becker, "Newman's Influence in Germany", en J. Coulson y A. M. Allchin (eds.), *The Rediscovery of Newman: An Oxford Symposium,* Londres, Sheed & Ward, 1967, p. 183. Referencia a Newman Studien, Bd, I, p. 184.

70 W. Becker, p. 183, citando a Heinrich Fries, *Newman Studien,* Bd. I, 181 ff.

mental de la Revelación y al estudiarla en términos de un desarrollo histórico.[71]

4. En vísperas del Vaticano II, Michael Schmaus, profesor de teología dogmática en la Universidad de Munich, publicó una teología dogmática que hace frecuentes referencias y cita a Newman. Schmaus fue consultor de la Comisión Preparatoria del Concilio. Su obra ejemplifica el regreso a las fuentes cristianas que, en buena medida, fue inspirado por Newman y Möhler. En referencia a "esta obra cumbre de la dogmática que dio inicio a 1937", el teólogo alemán Werner Becker llama a Newman, a quien tan a menudo se cita ahí, "un teólogo clásico comparable a los Padres de la Iglesia".[72]

5. Como es bien sabido, Karl Rahner, jesuita que enseñaba cristianismo y filosofía de la religión en la Universidad de Münster, fue uno de los teólogos más influyentes del Concilio.[73] En sus obras completas hay una sola referencia bibliográfica a Newman. No obstante, en *Mysterium Salutis*, una obra en colaboración sobre teología dogmática, Rahner cita a Newman en algunas ocasiones, cuando examina el desarrollo del dogma.[74] Especialmente notable para este estudio sobre la influencia de Newman en *Dei Verbum*, Rahner reconoce el énfasis que Newman ponía sobre "la dinámica de la historia en los acontecimientos de la revelación".[75]

6. En tiempos del Concilio, Joseph Ratzinger era profesor de teología fundamental en la Universidad de Bonn. Cuando Josef Frings, cardenal de Colonia, le pidió que comentara el borrador de

---

[71] *Ibid.*, p. 183.
[72] *Ibid.*, p. 182.
[73] Wiltgen escribe que fue "la mente más influyente de la Conferencia de Fulda", que preparó a los padres conciliares de Alemania para la segunda sesión del Concilio. Véase R. M. Wiltgen, *The Inside Story of Vatican II*, p. 108.
[74] Véase K. Rahner y K. Lehmann, "Storicità della Mediazione", en *Mysterium Salutis*, vol. 2, Editrice Queriniana, 1968. Nichols recalca la importancia del nombre de Newman, que aparece en primer lugar en la bibliografía que Rahner presentó para el tema en "Zur frage der Dogmentwicklung", así como la falta de referencias a J. Möhler y la Escuela de Tubinga. Véase A. Nichols, *From Newman to Congar*, p. 234.
[75] W. Becker, p. 186.

De fontibus, Ratzinger hizo sustanciosas críticas y explicó la insuficiencia del capítulo inicial de un texto sobre la Revelación. Colaboró con Rahner en la elaboración de un texto sobre la Revelación que pudiera servir a la comisión como texto para discusión. Como ya se mencionó, conocía a Newman, aunque solamente se refiere a él en dos ocasiones a lo largo de sus comentarios sobre los documentos del Vaticano II. Cuando era estudiante, quedó impresionado por la enseñanza de Newman sobre la conciencia; su conocimiento de la obra de Newman llegaría mucho más tarde, años después del Vaticano II.[76] No obstante, Ratzinger ya había absorbido el método teológico que se puede rastrear hasta Newman y Möhler. Afirmó que los textos conciliares "no debían ser tratados al estilo escolástico, como si hubieran sido tomados de los libros de texto de los teólogos, sino que en vez de ello han de hablar el lenguaje de las Sagradas Escrituras y de los santos Padres de la Iglesia".[77]

Francia y Alemania no fueron los únicos países que produjeron teólogos familiarizados con Newman. Los teólogos de Holanda también manifiestan estar familiarizados con su pensamiento. En Holanda, un notable estudioso de Newman fue el dominico J. H. Walgrave, quien en 1942 se doctoró en Lovaina con una tesis que llevaba por título *The development of dogma according to J. H. Cardinal Newman*. Era profesor de filosofía en la Catholic Flemish University, de la cual llegó a ser rector. También enseñaba en la Universidad de Lovaina y era editor en jefe de la revista *Kultuurleven*. Walgrave publicó varios libros sobre el pensamiento de Newman e introdujo en Newman a su colega E. Schillebeeckx.

Schillebeeckx, profesor de Teología en la Universidad de Nimega, fue *peritus* del Concilio. Como ya se mencionó, ofreció críticas de peso al primer borrador de *Dei Verbum* y a otros seis esquemas

---

[76] Véase J. Ratzinger, "John Henry Newman gehört zu den großen Lehrern der Kirche", *L'Osservatore Romano (deutsche Wochenausgabe)*, 3 de junio de 2005, p. 9.
[77] J. Wicks, "Six Texts by Prof. Joseph Ratzinger as *peritus*", *Gregorianum* 89.2(2008): 269-285.

preparados por la Comisión Preparatoria. Los obispos holandeses distribuyeron copias de sus críticas entre los demás obispos. Más adelante, Schillebeeckx trabajó en los subsecuentes borradores de lo que llegó a ser *Dei Verbum*. El volumen II de sus obras completas, intitulado *Revelation and Theology*, presenta amplios conocimientos de la doctrina de Newman sobre el desarrollo y formulación del dogma.[78]

También es notable el ya mencionado jesuita Pieter Smulders, quien estaba entre los profesores de la Compañía de Jesús que enseñaban teología y patrística en Maastricht, Holanda, y trabajó intensamente en *Dei Verbum*. Cuando el primer borrador de un texto sobre el depósito de la fe, *De deposito fidei pure custodiendo*, fue enviado a los padres del Concilio en 1962, Smulders explicó que dicho texto no podía constituir la base para los trabajos conciliares.[79] El texto le parecía tímido, mezquino y que delataba una mentalidad suspicaz. Citó a Newman en referencia al poder de la verdad: "Afirmo entonces que, aquel que crea en la Revelación con la fe absoluta que es prerrogativa de un católico, no será criatura timorata que se espanta ante cualquier ruido y se agita ante toda aparición extraña o novedosa con que topan sus ojos".[80]

La anterior enumeración de teólogos y sus lecturas de la obra de Newman no indica un acuerdo general con todos o algunos de sus puntos de vista, y ni siquiera un profundo conocimiento de sus escritos, en especial de aquellos sobre la Escritura y la Tradición. No obs-

---

[78] E. Schillebeeckx, *The Collected Words of Edward Schillebeeckx*, vol. II, Revelation and Theology, Londres, T&T Clark, 1998 (original 1964), pp. 50-52, 100, 266. De acuerdo con Nichols, Schillebeeckx introduce a Newman en la discusión sobre los desarrollos doctrinales, incluso cuando pensaba que él tenía una solución diferente para el problema del desarrollo doctrinal. Véase A. Nichols, *From Newman to Congar*, p. 244. Desafortunadamente, después de Vaticano II su exégesis y comprensión del desarrollo doctrinal se separó lejos de la Tradición de la Iglesia.

[79] J. Wicks, "Pieter Smulders and *Dei Verbum*", *Gregorianum* 81(2001): 241-297, 287. Tras repasar los papeles sobre Smulders que Jared Wicks confió al cuidado de Chris Ruddy de la Catholic University of America, no aparecen referencias a Newman.

[80] J. H. Newman, *The Idea of a University, Defined and Illustrated*, Londres, Longmans, Green and Co., 1907, p. 476.

tante, este repaso sugiere que, en el mundo de los teólogos franceses, alemanes y holandeses, había un vasto y considerable conocimiento de Newman antes del Vaticano II, y que, en cierta medida, por lo menos entre quienes enseñaban en Roma, dicho conocimiento iba más allá de sus comentarios sobre los *obiter dicta* y las malinterpretaciones que sobre éstos se hicieron.

Conclusiones

En este capítulo se ha sugerido que Newman contribuyó a la renovación de la teología en Europa, al favorecer el retorno a las fuentes cristianas más tempranas de todas: las Escrituras y los Padres de la Iglesia, y que así influyó de manera indirecta en el Vaticano II. También se han ofrecido razones para pensar que los escritos del cardenal Newman eran ampliamente conocidos, si bien de modo desigual, entre los padres del Concilio y los teólogos de Roma, Francia, Alemania y Holanda que participaron en el Concilio.

Aunque ciertos padres y *periti* conciliares citaron a Newman en el Concilio, fuera del núm. 8 de *Dei Verbum* no es posible establecer la influencia directa de Newman sobre los textos conciliares. No obstante, a partir de los escritos de Yves M. Congar, parece correcto sugerir que la idea de desarrollo doctrinal de Newman contribuyó al trabajo que hizo sobre la versión final de *Dei Verbum*, en especial del núm. 8.

Por último, el estudio de Newman puede ayudar a comprender el Vaticano II y sus enseñanzas, así como el carácter histórico y personalista de la teología que ahí fue privilegiada. Además, el estudio de sus textos, en particular de aquellos sobre la inspiración de la Escritura, incluyendo textos que Newman dejó incompletos e inéditos, puede arrojar luz sobre la comprensión de la inspiración bíblica, tanto en Newman como en nosotros.

Referencias

ALBERIGO, G.-KOMONCHAK, J. A. (eds.), *History of Vatican II*, Peeters-Leuven, Orbis-Maryknoll, Nueva York, 1995-2006, 5 vols.

BEAUMONT, K., "Newman's Reflections on Biblical Inspiration", *Newman Studies Journal* 11.1(2004): 4-17.

BECKER, W., "Newman's Influence in Germany", en J. Coulson y A. M. Allchin (eds.), *The Rediscovery of Newman: An Oxford Symposium*, Londres, Sheed & Ward.

BURINAGA, R., *La Bibbia nel concilio. La redazione della costituzione "Dei verbum" del Vaticano II*, Bolonia, Il Mulino, 1998.

CONGAR, Y., *My Journal of the Council*, Adelaida, ATF Press, 2012.

——, *Tradition and Traditions*, Nueva York, Macmillan, 1967.

——, *Jean Puyo interroge le Père Congar: "une vie pour la vérite"*, París, Centurion, 1975.

DUPUY, B. D., "Newman's Influence in France", in *Rediscovery of Newman: An Oxford Symposium*, Londres, Sheed & Ward, 1967.

HURLEY, J. P., "Newman and Twentieth-Century French Theology", extracto de tesis doctoral, *Cuadernos Doctorales de la Facultad de Teología de la Universidad de Navarra* 61(2014): 5-87.

KENDALL, D. Y S. Davis (eds.), *"Dei Verbum*, Developing Vatican II Revelation Doctrine, 1963-1964", en *The Convergence of Theology, A Festchrift Honoring Gerald O'Collins*, Nueva York, Paulist Press, 2001.

KER, I., "Some Unintended Consequences of Vatican II", en *Newman on Vatican II*, Oxford: Oxford University Press, 2016.

LATOURELLE, R., *Theology of Revelation, Including a Commentary of the Constitution «Dei Verbum» of Vatican II*, Eugene, Oregon, Wipf & Stock, 2009.

MEZAROS, A., "Haec Traditio proficit: Congar's Reception of Newman in *Dei Verbum*, 8", *New Black Friars* 92(2011): 247-254.

MULLER, M., "Newman's Poetics and the Inspiration of the Bible in *Arians of the Fourth Century*", *Newman Studies Journal* 14.2(2017): 5-24.

NEWMAN, J. H., *The Arians of the Fourth Century*, Londres, Longmans, Green and Co., 1908.

————, *Discussions and Arguments on Various Subjects*, Londres, Longmans, Green and Co., 1888.

————, *An Essay In Aid of a Grammar of Assent*, Londres, Longmans, Green and Co., 1903.

————, "On the Inspiration of Scripture", en *The Nineteenth Century*, vol. 15, núm. 84, febrero de 1884.

————, "The Influence of Natural and Revealed Religion Respectively", en *Fifteen Sermons Preached before the University of Oxford*, Londres, Longmans, Green and Co., 1909.

————, *Parochial and Plain Sermons*, Londres, Longmans, Green and Co., 1907.

————, *The Idea of a University, Defined and Illustrated*, Londres, Longmans, Green and Co., 1907.

————, *The Theological Papers of John Henry Newman on Biblical Inspiration and on Infallibility*, J. Holmes (ed.), Oxford, Clarendon, 1979.

NICHOLS, A., *From Newman to Congar, The Idea of Doctrinal Development from the Victorians to the Second Vatican Council*, Londres, T&T Clark, 1990.

PERSIDOK, A., "Entre Dios y la nada. El destino sobrenatural del hombre según Erich Przywara", *Scripta Theologica* 51(2019): 331-365.

ROWLAND, T., "The Influence of John Henry Newman on Benedict XVI", ABC *Religion and Ethics*, 16 de septiembre de 2010 [en línea], disponible en <https://www.abc.net.au/religion/the-influence-of-john-henry-newman-onbenedict-xvi/10102100>.

SCHELKENS, K., *Catholic Theology of Revelation on the Eve of Vatican II, A Redaction History of the Schema De Fontibus revelationis (1960-1962)*, Boston, Brill, 2010.

SCHILLEBEECKX, E., *The Collected Words of Edward Schillebeeckx*, vol. II, Revelation and Theology (original 1964), Londres, T&T Clark, 1998.

TÁBET, M. A., *Introducción general a la Biblia*, Madrid, Palabra, 2004.

TRISTRAM, H. Y F. Bacchus, "Newman", *Dictionarie de théologie catholique XI* (1931), cols. 327-398.

VANDER SHEL, K. M., "Eric Pryzwara on John Henry Newman and the Supernatural", en *Studies in Dogmatic Theology*, 2018, vol. 3, pp. 193-214 [en línea], <https://DOI:10.15290/std.2017.03.14>.

VORGRIMLER, H. (ed.), *Commentary on the Documents of Vatican II*, Friburgo, Herder, 1967, 5 Vols.

WICKS, J., "Vatican II on Revelation", en *Investigating Vatican II, Its Theologians, Ecumenical Turn and Biblical Commitment*, Washington, CUA, 2018.

WICKS, J., "Six Texts by Prof. Joseph Ratzinger as *peritus*", *Gregorianum* 89.2(2008): 269-285.

———, "Pieter Smulders and Dei Verbum", Gregorianum 81(2001): 241-297, 287.

WILTGEN, R. M., *The Inside Story of Vatican II* (título anterior *The Rhine flows into the Tiber*), Charlotte, Carolina del Norte, TAN Books, 1978.

IV
La eclesiología
en John Henry Newman

John T. Ford

La Iglesia fue un importante *leit motiv* en la vida y el pensamiento de John Henry Newman. Igual que en una sinfonía, la Iglesia está presente con distintas intensidades y ritmos en los escritos de Newman. Con frecuencia se trata de un *adagio* que sirve de fundamento a su labor como sacerdote, primero anglicano y luego católico; otras veces se trata de un *andante*, que le acompaña como una preocupación central tanto en su vida como en la vida de sus amigos y compañeros, y en ocasiones como un *allegro*, como una respuesta ineludible, e incluso dramática, a una llamada a cuestionar lo eclesiástico del momento o elaborar una posición eclesiológica o defender un principio eclesiástico.[1]

---

[1] Sobre la necesidad de Newman de una "llamada" para escribir, véase sus *Autobiographical Writings*, editado con introducción de Henry Tristram (Nueva York, Sheed and Ward, 1957), p. 272; sobre el amor de Newman por la música, véase E. Bellasis, *Cardinal Newman as a Musician*, Londres, Kegan Paul, Trench, Trübner y Co., 1892 [en línea], disponible en <http://www.gutenberg.org/files/26427/26427-h/26427-h.htm>.

Las "llamadas" de Newman para tomar partido en cuestiones relacionadas con la Iglesia surgieron de formas diversas y normalmente inesperadas; en la mayor parte de los casos, como parte de su responsabilidad como pastor para hacer entender la naturaleza y el objeto de la Iglesia a su congregación; muchas veces también como participante en numerosas controversias teológicas que en aquel momento eran frecuentes en la Universidad de Oxford, y a veces como partícipe de los debates sobre la relación Iglesia-Estado que fueron una constante en la política británica durante el siglo XIX. Al contrario de su *Grammar of Assent* (1870), que consiste en un análisis sistemático de la forma en la que la mente humana piensa, conoce y cree, Newman no escribió tratado académico alguno sobre eclesiología. En cambio, sus ideas sobre la Iglesia quedaron entretejidas en una amplia gama de escritos: sermones y octavillas, estudios y conferencias, prefacios y escritos ocasionales. A veces insistía en el mismo argumento eclesiológico una y otra vez, como para asegurarse de que sus lectores entendían (y, con suerte, aceptaban) su posición. En ocasiones proponía una hipótesis sobre la Iglesia de la forma más convincente posible, para abandonarla más adelante, lo que se traducía en un malestar consigo mismo y en la confusión de su audiencia. En cambio, otras veces, una vez que adoptaba una posición eclesiológica, seguía convencido de ella toda la vida.

En términos de metodología, Newman solía aproximarse a las cuestiones teológicas no tanto como una posición teórica pendiente de análisis como una cuestión pastoral acuciante a la que necesitaba dar respuesta, tanto para sí mismo como para los demás. Por eso su perspectiva no era tan teórica *a priori*, en el sentido de partir de una premisa y trabajar sobre ella en profundidad, sino más bien como un asunto personal, consistente en examinar lo que él consideraba una cuestión pastoral acuciante y proponer una solución, que esperaba que al menos fuera una explicación convincente. Cuando una u otra de sus hipótesis se desmoronaban, como sucedía de vez en cuando, Newman las abandonaba, en ocasiones sin pena ni gloria, y en otras con reticencia e incluso con dolor. En consecuencia, la eclesiología de Newman es, en gran medida, una concatenación de respuestas a cuestiones específicas sobre diversos aspectos de la Iglesia más que una exposición teológica sistemática sobre la naturaleza de la Iglesia. En efecto, la eclesiología de Newman recuerda a una composición musical cuyo tema principal se presenta y se repite con múltiples variaciones.

En consecuencia, quienes busquen en la obra de Newman un tratado de eclesiología se sentirán inevitablemente decepcionados. En cambio, quienes acepten acompañar a Newman a medida que estudia diversas facetas de la Iglesia en distintos momentos de su trayecto vital, se sentirán fascinados, incluso maravillados. Al menos en retrospectiva, la eclesiología de Newman se asemeja a una sinfonía cuyos movimientos están en distintas claves según el momento vital del compositor y las cuestiones que le preocupaban en cada uno. Para apreciar esta sinfonía eclesiológica, se debe prestar atención al escuchar cada movimiento.

1. La primera conversión de Newman: personal y no eclesiástica (1801-1822)

En su *Apologia pro vita sua* (1864), publicada casi dos décadas después de su ingreso en la Iglesia católica de Roma, Newman declaraba: "Desde niño me educaron para que disfrutara leyendo la Biblia, pero no tuve convicciones religiosas propias hasta que cumplí 15 años. Por supuesto, me sabía el catecismo al dedillo".[2]

Contrariamente a la descripción detallada que hace Newman de su conversión cuando era un adolescente, su narrativa autobiográfica no permite conocer las prácticas religiosas vividas en su familia ni su asistencia o participación en las actividades de su parroquia anglica-

---

[2]   J. H. Newman, *Apologia Pro Vita Sua* (1864), editado por David J. de Laura, Nueva York, W. W. Norton, 1968, p. 14; en lo sucesivo citado como *Apologia* seguido del número de páginas.

na. Cabe por tanto especular sobre el verdadero papel que desempeñó la Iglesia de Inglaterra en la vida de Newman antes de que asistiera a la Universidad de Oxford, en la que la asistencia a la iglesia era un aspecto habitual de la vida académica.

En cambio, lo que queda claro sin lugar a dudas en su *Apologia* es que las convicciones religiosas de Newman se formaron principalmente en el curso de una profunda experiencia espiritual que sucedió en sus últimos días como estudiante en Ealing, mientras se preparaba para ingresar en el Trinity College de Oxford. El efecto de su conversión resulta evidente en la descripción de su creencia en la "doctrina de la perseverancia final":

> La recibí al momento y creí que la conversión interior de la que era consciente (y de la que todavía estoy más seguro que de que tengo manos y pies) persistiría hasta la próxima vida, y que el destino que se me reservaba era la gloria eterna.[3]

Sin embargo, la experiencia de Newman de adolescente era distinta de las típicas "conversiones evangélicas", que solían ser instantáneas y asociadas a un lugar y momento concretos. En cambio, esta conversión sucedió gradualmente a lo largo de varios meses y en diferentes sitios. No obstante, existe una similitud considerable: su conversión contenía el característico énfasis evangélico en la relación entre el Salvador y el salvado. Newman afirma que su conversión le confirmaba "en mi desconfianza de la realidad de los fenómenos materiales" y le hacía "descansar en la certeza de dos, y sólo dos, seres absolutos y luminosamente obvios, mi Creador y yo mismo".[4]

Una característica notable de esta importancia, similar a la de los evangélicos en "mi Creador y yo mismo" es que el encuentro con lo divino es personal y directo, sin la mediación de una experiencia canalizada por la Iglesia. En este sentido, el cristianismo evangélico

---

[3]   *Apologia*, 16.
[4]   *Ibid.*

se puede describir como "independiente de la Iglesia" en la medida que su piedra angular es la conversión personal. La existencia de una "Iglesia visible" puede ser valiosa, pero no indispensable. Para muchos evangélicos, los "canales de la gracia divina" eran directos y sin la intermediación de una Iglesia institucional. Por lo tanto, a pesar de las ventajas que pueda proporcionar, la existencia de una iglesia no es absolutamente esencial.

Así, tras su conversión de adolescente, Newman, como algunos de sus coetáneos, pudo haber practicado un cristianismo por libre, seriamente preocupado por su salvación personal, pero con una relación sólo circunstancial con cualquier Iglesia concreta.[5] Diez años más tarde, tras haber reconocido la necesidad de una Iglesia visible, resumió el pensamiento del cristianismo individualista: "Si esto complaciera a Dios, cada cristiano sólo sería cristiano en su casa; un cristiano debería sólo procurar su salvación personal, sin involucrarse en el bienestar de los demás".[6]

Simultáneamente a su conversión, Newman leyó a una serie de autores cuya influencia espiritual perduraría a lo largo de sus años en la Iglesia anglicana, y en ocasiones durante toda la vida. Con Thomas Scott,[7] que "seguía a la verdad a donde esta quisiera llevarlo, desde el Unitarismo a una fe inquebrantable en la Santísima Trinidad", New-

---

[5]   Véase D. G. Paz, *Nineteenth-Century English Religious Traditions: Retrospect and Prospect,* Westport, Connecticut, Greenwood, 1995. Newman se mofó de diversas idiosincrasias religiosas del periodo victoriano en su novela, *Loss and Gain* (1848).

[6]   Sermón 157, "On the One Catholic and Apostolic Church" (19 de noviembre de 1826), en *John Henry Newman: Sermons, 1824-1843,* Volumen IV: *The Church and Miscellaneous Sermons at St Mary's and Littlemore,* editado por Francis J. Mc-Grath, Oxford: Clarendon Press, 2011, 42-54, en 43; en lo sucesivo citado como: *Sermons* 4. Newman numeraba sus sermones en la Iglesia anglicana en el orden en el que los redactaba, en lugar de en el orden en el que los pronunciaba; como muchos predicadores, Newman revisaba y reutilizaba sermones antiguos.

[7]   Thomas Scott (1747-1821), párroco de Aston Sandford y fundador de la Church Missionary Society y autor de *Commentary on the Whole Bible* (1788-1792), al que Newman describió como "la persona a la que, en términos humanos, casi debo mi alma" (*Apologia,* 17).

man acabó compartiendo su acento en la "verdad fundamental de la religión" y su "resuelta oposición al Antinomismo".[8] Sin embargo, al contrario que muchos evangélicos, las "convicciones religiosas" pasaban por la adhesión a un credo definido. En concreto, la *History of the Church*[9] de Joseph Milner proponía una introducción a la "religión de los cristianos primitivos", una época poco conocida para la mayoría de los contemporáneos de Newman. Finalmente, de la lectura de *Prophecies* de Thomas Newton,[10] Newman "adquirió la firme convicción de que el Papa era el anticristo preconizado por Daniel, san Pablo y san Juan".[11] El antipapismo era un prejuicio profundamente instalado en el pensamiento y el sentir del protestantismo inglés del siglo XIX, del que a Newman le costó un esfuerzo considerable distanciarse.[12]

2. Oriel College (1822-1832): "Una, santa, católica y apostólica"

Aunque Newman, por insistencia de su padre, contempló un futuro en la abogacía, sus mediocres resultados en el examen de bachillerato y la quiebra del banco de su padre le hicieron reconsiderar su vocación. En 1822 decidió ordenarse como sacerdote de la Iglesia anglicana y a la vez postularse como candidato para un puesto académico para el que

---

[8] En el siglo XIX existían distintas formas de antinomismo, que es la doctrina que expone que, dado que los creyentes viven al amparo de la gracia divina, la adhesión a ley moral divina no es un requisito esencial para la salvación. Esta perspectiva llevó a que determinados cristianos alegaran que no estaban obligados a obedecer la ley moral o los mandamientos.

[9] Joseph Milner (1744-1797) fue un evangélico anglicano, cuya *The History of the Church of Christ* tuvo una considerable influencia en el joven Newman.

[10] Thomas Newton (1704-1782), Obispo de Bristol (1761-1782), fue el autor de *Dissertations on the Prophecies* (1754), en el que retrataba al Papa como el Anticristo.

[11] Newman describió la influencia espiritual que Scott, Milner y Newton habían tenido en él en su *Apologia*, 17-19.

[12] Véase E. R. Norman, *Anti-Catholicism in Victorian England*, Nueva York, Barnes and Noble, 1968.

entonces era el *college* más prestigioso de la Universidad de Oxford. Tuvo éxito en las dos cosas. El 4 de abril de 1822 ingresó como *fellow* en Oriel College; dos años más tarde, el 13 de junio de 1824, fue ordenado diácono de la Iglesia de Inglaterra y un año después, el 29 de mayo de 1825, accedió al sacerdocio. Poco después de ordenarse como diácono, Newman inició su servicio como vicario en St. Clement's Church, una parroquia concurrida por fieles de la clase obrera que entonces se encontraba en los límites del Oxford académico.[13]

Como *fellow* de Oriel, Newman participaba de los debates teológicos de sus compañeros sobre la naturaleza de la revelación cristiana y el propósito de la Iglesia. Entre los libros que ejercieron una gran influencia durante su vida está *The Analogy of Religion* del obispo Butler:

> Su insistencia en una Iglesia visible, que sería el oráculo de la verdad y una pauta de santidad, en el deber de manifestación religiosa y en el carácter histórico de la Revelación, son características de su ingente obra que nunca deja de impresionar al lector.[14]

Mientras se preparaba para su ordenación, Newman asistió a una serie de conferencias del *Regius Professor* (profesor universitario designado por el rey) de Teología, Charles Lloyd,[15] quien subrayaba que la Iglesia de Inglaterra era descendiente directa de la Iglesia de los Apóstoles y que los sacramentos son canales por los que se transfiere la gracia divina. Además de las conferencias de Lloyd y de su propia experiencia pastoral como vicario de St. Clement's Church, Newman acabó concluyendo que algunas de sus posiciones teológicas (sobre todo su visión calvinista de que las personas podían clasificarse en "salvadas" y "condenados") eran irrealistas e inalcanzables.

---

[13] En la época del servicio de Newman, St. Clement's Church se encontraba en "el llano" al otro lado de Magdalen Bridge; este edificio se demolió en 1829, después de que se construyera una nueva iglesia en Marston Road, a unos 800 metros.

[14] *Apologia*, 21. Joseph Butler (1692-1752), obispo anglicano de Bristol (1738-1750) y Durham (1750-1752), fue el autor de *Analogy of Religion, Natural and Revealed* (1736).

[15] Charles Lloyd (1784-1829) fue nombrado obispo de Oxford en 1827.

El efecto acumulativo de sus debates teológicos en Oxford, de su experiencia pastoral en St. Clement's Church y de sus reflexiones personales llevaron gradualmente a Newman a posiciones eclesiológicas de la "High Church",[16] que quedaron patentes en el sermón que pronunció en St. Clement en la tarde del domingo 4 de diciembre de 1825: "On the Use of the Visible Church".[17] Partiendo del texto "La Iglesia del Dios viviente, columna y fundamento de la verdad" (1 Tim 3, 15), comentó:

> La expresión "la Iglesia de Dios" no sólo se refiere al cuerpo general de cristianos espirituales que vive en la fe en su Salvador [...] sino también a la comunidad visible que se rige por determinadas normas y está sujeta al gobierno de determinados individuos.

Si bien sólo Dios puede ver a los miembros de la "Iglesia invisible u *oculta (unseen)*", en el caso de la "Iglesia visible [...] podemos identificar a sus miembros: el bautismo es un sacramento del que podemos ser testigos, y sabemos quiénes son sus sacerdotes, obispos y ministros".[18] A continuación, Newman enumeró las diversas razones que sustentan la existencia de la Iglesia visible en tanto que institución: esta Iglesia visible ha "conservado nuestra fe y nos ha salvado de su pérdida y abandono". Además, los apóstoles dejaron dispuesta su sucesión, que ha continuado generación tras generación con el fin de "trasladar la verdad salvadora del Evangelio a la próxima generación, y así sucesivamente por los siglos de los siglos".

Antes de que transcurriera un año, en la tarde del 19 de noviembre de 1826, Newman predicó otro sermón en St. Clement's Church,

---

[16] El término "High Church" se refiere a los anglicanos que mantenían una interpretación tradicional de los *Treinta y nueve artículos* y celebraban la liturgia recogida en *El libro de oración común* con ceremonias formales.

[17] Sermón 121: "On the Use of the Visible Church" (4 de diciembre de 1825), en *Sermons* 4:28-34.

[18] Muchos evangélicos consideran el bautismo como una "normativa" *(ordinance)* más que como un sacramento. Durante los primeros años como *fellow* de Oriel College, Newman fue persuadido por Pusey para aceptar el bautismo como un sacramento.

esta vez sobre "On the One Catholic and Apostolic Church".[19] Al comentar las "palabras de conclusión del Evangelio según san Mateo" (28, 18-20), empezó por subrayar que "la Iglesia, que es una, santa, católica y apostólica" es un artículo de la fe cristiana, que enseñan tanto el Credo niceno como el Credo de los apóstoles, para después pasar a preguntarse: ¿qué Iglesia es esta?

> La "Iglesia" a la que se refieren ambos credos es la Iglesia visible, con el cuerpo y la comunidad instituidas por Jesús y sus apóstoles, que profesa la única fe del Evangelio, gobernada por ciertos ministros y asociada a determinadas leyes; no obstante, los miembros de esta Iglesia pueden verse divididos por diferencias entre países, idiomas, culturales...

A continuación, Newman enumeró cuatro aspectos de los orígenes apostólicos de la Iglesia:

1. Jesucristo instauró la Última Cena con el fin expreso de que sus seguidores se reunieran para celebrar su memoria *todos juntos*.
2. La comunidad formada por los cristianos, que tiene su origen en los apóstoles, estaba gobernada por determinados líderes nombrados para este fin, a los que san Pablo denominó *pilares*. Estos ministros, incluyendo al propio Pablo, fueron "ordenados formalmente mediante la imposición de manos".
3. El cuerpo visible de la Iglesia se regula mediante leyes y los apóstoles fueron investidos con el "poder de censura espiritual".
4. Desde tiempos apostólicos ha existido una "manera sistemática de gobierno en la Iglesia": (1) preservar la fe cristiana; (2) preservar la *pureza de la doctrina*; (3) preservar la santidad y la piedad cristianas, y (4) promover el *orden*.

Tras exponer la naturaleza apostólica de la Iglesia, Newman planteó la unidad de la Iglesia, que sería "una, santa, católica y apostólica", y tendría la intención de pervivir como *una sola entidad* a lo largo

---

[19] Sermón 157: "On the One Catholic and Apostolic Church" (19 de noviembre de 1826), en *Sermons* (4:42-54); este sermón fue una de las primeras enunciaciones de Newman sobre los principios de la "High Church" (*Sermons*, 4:42, n. 2).

de los siglos, con una rama en Inglaterra, otra en Escocia, otras en Irlanda, Francia, España, Roma, Grecia: "Todos los miembros y descendientes de dicha Iglesia primitiva por la que los apóstoles dieron sus vidas". De manera simultánea, lamentó que tantas de estas ramas se hubieran alejado de la fe de Jesucristo y apremió a su congregación a que rezara por todas las demás ramas de la Iglesia. Por último, subrayó que la Iglesia es una Iglesia visible, pública, volcada hacia el exterior: una entidad del cristianismo establecida por los apóstoles y que continúa hasta el día de hoy. También recodó que san Pablo condenó los cismas y prohibió que los cristianos se alejaran innecesariamente de la Iglesia. Dios edificó una Iglesia, no una multitud de sectas.

Dos meses más tarde, en el servicio matinal del domingo 28 de enero de 1827, Newman predicó "On the Mediatorial Kingdom of Christ".[20] En oposición al "Reino de Dios", que es "eterno, ilimitado, absoluto, independiente del tiempo y el espacio", el Reino mediador de Jesús es "un reinado sobre los pecadores que Él ha redimido y que Dios Padre ha acogido misericordiosamente en sus brazos para su ulterior salvación". En consecuencia, el Reino mediador de Jesucristo es "distinto del Reino ilimitado y universal de Dios Padre". Jesucristo consiguió este Reino mediante "la mediación y la intermediación por nosotros ante Dios"; por lo tanto, el Reino mediador de Jesucristo "no es sobre hombres virtuosos sino sobre pecadores". "Este Reino de Jesucristo no sólo tiene la función de preparar a las criaturas impías que han ofendido al Señor para su futura gloria, sino [...] también revelarles el carácter glorioso de Dios". Por tanto, "este Reino mediador de Jesucristo es temporal y no eterno", hasta que "todas las personas,

---

[20]　El Sermón 158: "On the Mediatorial Kingdom of Christ", pronunciado originalmente por Newman en Navidad (25 de diciembre de 1826) en Brighton, donde estaba pasando sus vacaciones, y a continuación repetida (con un final distinto) en St. Clement's Church, está disponible en *John Henry Newman: Sermons, 1824-1843*, Oxford, Clarendon Press, Volumen I: Sermons on the Liturgy and Sacraments and on Christ the Mediator, editado por Placid Murray, Oxford: Clarendon Press, 1991, pp. 293-301; en lo sucesivo citado como *Sermons 1*.

todas las naciones y lenguas" reconozcan a Jesús; "entonces su reinado habrá terminado". Newman concluyó su sermón instando a los miembros de su congregación a tomar parte en el "sacramento de la cena del Señor" en tanto que "súbditos de Su Reino mediador sometidos a Él mediante un juramento de lealtad, agradeciéndole Su misericordia y encomendándose a Él para obtener su gracia y consuelo".[21]

Once semanas más tarde, el 15 de abril de 1827, Domingo de Pascua, Newman volvió a predicar sobre el mismo tema ("On the Mediatorial Kingdom of Christ"), esta vez en la capilla del Oriel College.[22] Predicando una vez más sobre el gran envío recogido en el Evangelio según san Mateo (28, 18-20), Newman señaló que "una vez Él resucitó de entre los muertos, ya no era el varón de dolores que conocía el sufrimiento, sino el Salvador exaltado de la humanidad, el único Mediador aceptado y efectivo entre Dios y un mundo de pecado". Además, Jesucristo "es con nosotros como era con sus primeros discípulos y como lo será con Su Iglesia, de conformidad con la promesa que se recoge en las Escrituras, y así será por los siglos de los siglos". A continuación, Newman identificó este Reino:

> La parte de la humanidad que Él seleccionó en un principio se denomina su Iglesia, los primeros frutos de su Reino mediador, la promesa de su eventual triunfo: de todo ello él es Rey, y lo ama y justifica, y por ello intercede ante el Padre. Él gobierna este Reino, lo protege, lo disciplina, lo consuela y purifica mediante Su Espíritu; y este Reino se ampliará hasta que al final englobe a todas las naciones, y el Reino de Satán haya sido vencido en todos los rincones.

Igual que en su anterior sermón, Newman subrayó que el "Reino mediador de Jesucristo es distinto del Reino absoluto y eterno del

---

[21]   De hecho, Newman reprendió severamente a los miembros de su congregación que abandonaron el servicio y no se quedaron a comulgar (*Sermons 1*, pp. 299-301).

[22]   Sermón 160: "On the Mediatorial Kingdom of Christ", que se encuentra en *Sermons 1*, pp. 329-343. La afirmación de Newman en este sermón de que "el Hijo de Dios, como Mediador, *es inferior al Padre*" provocó críticas agudas en sus colegas de Oriel, como se ve por los añadidos editoriales a este sermón. Newman había afirmado algo semejante en su anterior sermón (p. 158) sobre este tema (p. 297).

Creador". Mientras que este Reino es *mediador* y *propiciatorio*, también es "un reino de disciplina y no de mera obediencia". "Jesús *educa, purifica* a aquellos que extrae del mundo para su futura transferencia de nuevo al Reino del Dios Único y Eterno." Por tanto, "el solemne juicio a la humanidad será Su último acto como Mediador".

> Tal es la naturaleza del Reino del divino mediador: un reinado sobre los pecadores para trasladarles la gracia y también para instruirles en la disciplina para su futura gloria en los cielos, un Reino en el que Él se digna en alegrarse y estar en su gloria, aunque en realidad nada puede añadirse a la *gloria* o al perfecto *gozo* del Ser Infinito que es *sobre todas las cosas* Dios *bendito*.

Sin embargo, en términos de salvación de todos los seres humanos, esta descripción presentaba un problema:

> En un sentido, todo el mundo le pertenece, y en otro sólo la entidad cristiana; en un sentido Él murió por todos nosotros, en otro sólo para los que eligió como Su Iglesia; en un sentido todos los que ruegan por la gracia divina la reciben, y en otro sólo los que han sido bautizados en Su nombre.

Al reconocer que "la extensión del Reino de Jesucristo depende no sólo de Su voluntad, sino también de la del hombre", Newman confiaba que estas profecías "se cumplirán poco a poco pero inexorablemente, hasta que Su Reino se extienda a toda la tierra":

> Y así, a pesar de los muchos obstáculos a los que se enfrenta la Iglesia de Dios, los ataques de sus enemigos declarados, las enseñanzas de los falsos amigos, las fricciones en su interior, la deserción de los débiles y mal encaminados, los errores de los buenos, y la pérdida inesperada de los que parecían destinados a ampliarla y defenderla, aprenden a afirmar la simple fe, en la certeza de Jesucristo, de que todo poder le corresponde, en efecto, a Él, y que será Su voluntad la que haga crecer su Iglesia, y que estará respaldando a sus constructores siempre y hasta el final.

Dejando para el futuro la perfección del Reino mediador, New-man, igual que en su sermón anterior, invitó a su congregación a participar del "sacramento de la Cena del Señor" donde "nos confesamos súbditos de su Reino mediador".

3. La Iglesia de Inglaterra como *Via Media* (1833-1839)

Durante su primera década como *fellow* del Oriel College, los sermones de Newman contraponían el Reino de Jesucristo con su correspondiente terrenal y temporal. Haciendo referencia al Credo, Newman describía a la Iglesia visible como "una" y "apostólica". La apostolicidad de la Iglesia es evidente tanto en la celebración de la Eucaristía como en su estructura jerárquica. El carácter único de la Iglesia se manifestaba por la existencia de ramas en distintos lugares: no sólo en Inglaterra, Escocia e Irlanda (en donde había Iglesias de la comunión anglicana), sino también en Roma y Grecia. Esta "teoría de las ramas", no obstante, no resultaba satisfactoria desde un punto de vista teológico, ya que no abordaba la multiplicidad de denominaciones en un mismo país ni daba respuesta a la cuestión de la salvación de los que se encontraban fuera de la Iglesia visible. Para Newman, era necesario un mayor desarrollo de su idea de Iglesia, tanto en términos teológicos como pastorales.

Después de que John Keble pronunciara su *Assize Sermon* "On National Apostasy" (el 14 de julio de 1833), Newman, junto con varios amigos y compañeros que compartían su línea de pensamiento, lanzó una campaña en favor de la renovación religiosa que se conoce como el Movimiento de Oxford o el Movimiento Tractariano.[23] La intención de este movimiento era revivir entre los fieles anglicanos una

---

[23] El término "tractariano" se deriva de esta serie de noventa *Tracts for the Times* (1833-1841), que se publicaron de manera independiente y a menudo anónima, por los participantes en el Movimiento de Oxford. *Tracts for the Times: by Members of the University of Oxford*, 6 vols., Nueva York, AMS Press, 1969. Newman fue autor de

conciencia personal de que la Iglesia de Inglaterra era una, santa, católica y apostólica, una institución visible independiente del gobierno civil que servía de tutela para la práctica de la fe cristiana, así como de núcleo de la unidad cristiana. Los principales postulados eclesiológicos del movimiento eran la sucesión apostólica y la tradición eclesial, la reactivación de la disciplina eclesiástica y la llamada universal a la santidad cristiana, así como la necesidad de los sacramentos y la oración litúrgica. Junto con sus compañeros "conspiradores de Oxford", Newman utilizó diversos medios (sermones, conferencias, ensayos, poemas, correspondencia, etc.) para propagar esta renovación a sus compañeros clérigos, a estudiantes de Oxford y a miembros de la Iglesia de Inglaterra.[24] Uno de sus esfuerzos más notables fue una serie de *Tracts for the Times*, que acabaron abordando una amplia gama de temas teológicos.

En el *Tract 2*, "The Catholic Church" (9 de septiembre de 1833), Newman planteó la cuestión de si "el clero debería abstenerse de intervenir en política" y señaló: "Un sentido inexcusable en el que un hombre del clero puede, es más, debe, intervenir en política [...] cuando el Estado interfiere con los derechos y posesiones de la Iglesia". Esta "interferencia en los asuntos espirituales" va directamente en contra con la creencia anglicana en "la Iglesia una, católica y apostólica".

> Ya existe en la tierra una Sociedad, Apostólica puesto que fue fundada por los Apóstoles, Católica puesto que sus ramas llegan a todos los rincones, la Iglesia Visible con sus Obispos, Sacerdotes y Diáconos. Esta es ciertamente una doctrina muy importante, pues ¿qué mejor noticia para el grueso de la humanidad que saber que Jesucristo, cuando as-

---

aproximadamente una tercera parte de los *Tracts*; los *tracts* escritos por Newman están disponibles en <http://www.newmanreader.org/works/times/index.html>.

[24] Para una perspectiva completa sobre el Movimiento de Oxford, véase M. R. O'Connell, *The Oxford Conspirators; A History of the Oxford Movement 1833-1845*, Nueva York, Macmillan, 1969. Entre el abundante material existente sobre el movimiento tractariano, destaca R. W. Church, *The Oxford Movement: Twelve Years: 1833-1845*, Londres, Macmillan, 1922; y O. Chadwick, *The Spirit of the Oxford Movement: Tractarian Essays*, Cambridge, University Press, 1990.

cendió a los cielos, no nos dejó huérfanos, sino que nombró a quienes serían sus representantes hasta el fin de los tiempos?

Para Newman, los que afirman que *"ya no es momento* de obsesionarse por los derechos de la Iglesia" eran como la gente que afirma: "Ya no es momento de ser cristiano".

Unas siete semanas después (29 de octubre de 1833) en el *Tract* 7, "The Episcopal Church Apostolical", Newman criticó a los ministros presbiterianos por "considerar que ejercían el poder de ordenación y de perpetuar un ministerio mediante la sucesión, sin haber recibido ningún cometido en este sentido":

> Los Apóstoles nombraron a sus sucesores en su ministerio, y éstos a su vez nombraron a los suyos, y así sucesivamente hasta el día de hoy; además, los Apóstoles y sus Sucesores, en todas las épocas han confiado partes de su poder y su autoridad a otros, que pasaron a ser sus delegados y, en cierta medida, sus representantes, y éstos son llamados Sacerdotes y Diáconos.

Newman resumió su posición en tres puntos: (1) "el hecho de la Sucesión Apostólica" es "demasiado obvio para exigir pruebas"; (2) "la doctrina de la Sucesión" incluye "un tipo de personas que se distingue de otras en su dedicación a tareas religiosas"; (3) "Cristo prometió que estaría con sus Apóstoles siempre, como ministros de su religión, incluso hasta el fin del mundo".

Quince días más tarde (11 de noviembre de 1833), Newman publicó el *Tract 11*, "The Visible Church", que adoptó la forma de dos cartas a un amigo sobre la Iglesia visible. En respuesta al argumento de su amigo de que "ciertamente, el amor de Cristo es seguramente el único requisito para la comunión cristiana en este mundo, y para gozar del cielo en el futuro". Newman insiste en que "la doctrina de la Iglesia" y el "deber de obedecerla" está "recogido en las Escrituras". También subraya que "los Sacramentos dependen ciertamente de la Iglesia visible", que no es "una asociación espontánea de estos tiempos, sino una continuación de la que existió en la época anterior a la nuestra [...], hasta remontarnos a la época de los Apóstoles".

Si bien reconociendo que Dios "podría haber legado el cristianismo como una especie de literatura sagrada recogida en la Biblia, de la que cada persona podría sacar provecho para sí misma", Newman mantiene que Dios "en realidad estableció una sociedad, que está presente en todo el mundo hasta el día de hoy, y a la que, por regla general, los cristianos están obligados a incorporarse". Al comparar esta Iglesia visible con un "dispensario médico", Newman señala que los "Sacramentos, que son los medios ordinarios de gracia, están claramente en posesión de la Iglesia". Este *Tract* se cerraba con una lista de textos bíblicos que sustentaban su afirmación de que "existía una Iglesia visible en tiempos de los Apóstoles" que, además de estar bien organizada, "tenía la intención de perdurar".

Seis semanas después (24 de diciembre de 1833) Newman publicó una tercera carta a su amigo sobre el mismo tema, "The Visible Church" que constituye el *Tract 20*. Con la preocupación aparente de que su amigo anónimo pudiera equiparar su insistencia en la Iglesia visible con la "corrupciones papistas del Evangelio", Newman insiste en que descomponer "la Autoridad Divina de nuestra Iglesia apostólica" sería "preparar claramente el camino para un Papado en nuestro país". Por el contrario, Dios "ha conservado maravillosamente nuestra Iglesia [anglicana] como una verdadera rama de la Iglesia Universal, y la ha preservado libre de todo error doctrinal"; por lo tanto, la Iglesia de Inglaterra es "católica y apostólica, pero no papista". En consecuencia, la unión con la Iglesia romana es "imposible. Su comunión está infectada de heterodoxia; estamos obligados a huir de ella como de la peste"; en consecuencia, "el papado debe ser destruido; no puede ser reformado".

Como complemento a su tercera carta, Newman publicó el *Tract 19*, "On Arguing Concerning the Apostolical Succession" (23 de diciembre de 1833), en el que exponía brevemente la base bíblica de "la necesidad de la Ordenación Episcopal, con el fin de constituir un Ministro de Cristo". De nuevo en respuesta a un amigo, contrasta su "argumento en favor de la Sucesión Apostólica" de la "ordenación de san Pablo y san Bernabé" (Hechos 13, 2-3) con la afirmación de que "su ordenación podría haber sido un rito accidental, con la mera intención de comisionarlos para su periplo misionero". De la misma manera, sin considerar que "la indicación de san Pablo a Timoteo" de "no imponer las manos sobre ningún hombre con ligereza" podría "referirse a la confirmación y no a la ordenación", Newman insiste en que "la Iglesia siempre ha considerado que la ordenación era necesaria para el Cometido Ministerial".

Tuvieron que pasar casi 10 meses (1 de noviembre de 1834) para que Newman publicara su cuarta carta sobre "la Iglesia Visible" en el *Tract 47*, en la que respondía a la acusación de su amigo que Newman estaba insinuando que "los disidentes quedaban excluidos de la salvación". Comparando a los presbiterianos con los samaritanos, que se distanciaron "de los privilegios de nuestro templo, y minusvaloraron la línea de Levi y la casa de Aarón", insiste en que "las sectas protestantes no descansan 'en Cristo', en la misma plenitud que nosotros [los anglicanos]". No obstante, Newman no excluía a los disidentes de la posibilidad de salvación:[25]

> Se podría creer que una disidencia arraigada proporciona a los que nacen y se educan en ella una suerte de excusa, y que se asiste a estos servicios con cierto nivel de bendición (donde no hay medios para otra cosa), lo que no se aplica a los que causan estas divisiones, fundan sectas o se alejan a la ligera de la Iglesia para ir a una de estas reuniones.

Antes, el 25 de abril de 1834, Newman había publicado el *Tract 31*, "The Reformed Church", en el que comparaba la Iglesia de Inglaterra de su tiempo con "el estado en el que se encontraban los judíos tras

---

[25] La categoría de "disidentes" incluía una amplia gama de cristianos que se negaban a suscribir los *Treinta y nueve artículos* de la Iglesia de Inglaterra y en cambio asistían a sus propias capillas o lugares de reunión.

su cautividad". De la misma manera que los judíos fueron "traídos de nuevo a Babilonia por la misericordia divina", así también "la Iglesia cristiana se estableció, en un principio, en base a la unidad: unidad de doctrina, o *verdad*; unidad de disciplina, o *catolicismo*; y unidad de corazón o *caridad*". A continuación, Newman se pregunta retóricamente: "¿Dónde queda la unidad ahora?". Su respuesta tiene un tono pesimista:

> Volvamos a la Iglesia cristiana restaurada y reflexionemos sobre las confusas cuestiones relativas a la unión de la Iglesia y el Estado, que surgen de las políticas de los tres últimos siglos; las tiránicas injerencias del poder civil en determinados momentos; las profanaciones en la época de la Gran Rebelión; la deliberada impiedad de la Revolución francesa; y la aparente descomposición del gobierno de la Iglesia que vemos hoy en todas partes, con sus innumerables cismas, la mezcla de hombres de distintos credos y sectas, y el desprecio ante cualquier muestra de celo apostólico.

Newman parecía albergar pocas dudas de que las profecías del pasado se aplicaban al presente: con todo, si bien parecía "como si la Iglesia ya estuviera muerta, dentro de ella surgen nuevas formas de organización y se multiplican las formas de vida y de acción".

Con fecha del 25 de junio de 1834, el *Tract 38*, el primero de los dos sobre la *Via Media* se configuró como un diálogo entre *Laicus* y *Clericus*. *Laicus* abre la conversación observando que "el mundo entero te acusa de papismo". *Clericus* está dispuesto a admitir cierto paralelismo entre su visión de la Iglesia y el "sistema papista" sobre la base de que "toda corrupción de la verdad se asemeja a la verdad a la que corrompe"; a continuación se pregunta retóricamente: "¿Estás plenamente seguro de que no necesitamos una segunda reforma?".

Laicus cuestiona esta necesidad de reforma, dado que la Iglesia de Inglaterra tiene "artículos y una Liturgia, que nos impide desviarnos de la verdad que se estableció en el siglo XVI". Entonces, *Clericus* trata de demostrar que muchos "eclesiásticos de hoy en día se han desviado de las opiniones de nuestros reformadores, y se han opuesto más que antes al sistema contra el que protestaban". Tras fundamentar esto con una serie de ejemplos, Clericus afirma: "La gloria de la Iglesia de Inglaterra es que ha tomado la *Via Media*, como ha sido llamada. Se encuentra entre los (llamados) reformadores y los romanistas".

A continuación, *Clericus* pregunta a *Laicus* por su descripción de la Iglesia: su respuesta engloba varias posturas tractarianas:

> La existencia de la Iglesia es independiente del Estado; el Estado no debe inmiscuirse religiosamente en sus asuntos internos; nadie debe realizar tareas ministeriales excepto los ordenados por los obispos; la consagración de la Eucaristía se confía especialmente a obispos y sacerdotes.

Clericus responde que los reformadores no pretendían rechazar "las doctrinas que predicaron los Apóstoles en las Escrituras y se plasmaron en la Iglesia primitiva". Mientras que algunas de estas doctrinas se mencionaban en los *Treinta y nueve artículos*, "existen muchas otras doctrinas, que no se mencionan, por la simple razón de que ninguna de las dos partes las puso en cuestión".

A la acusación de que la Iglesia de Inglaterra tiene "unos artículos calvinistas y una liturgia papista", *Clericus* pregunta si "la liturgia, tal como nos la han trasladado los Apóstoles, es depositaria de sus completas enseñanzas; mientras que los artículos son polémicos, excepto cuando encarnan el credo, constituyen únicamente protestas ante determinados errores manifiestos". El diálogo concluye con *Clericus* enumerando 14 puntos que demostraban que la Iglesia de Inglaterra constituía la "verdadera *Via Media*".

Pasaron dos meses antes de retomar la conversación sobre la *Via Media* en el *Tract 41* (24 de agosto de 1834). Cuando *Laicus* le pide que le instruya en eclesiología, *Clericus* señala que "la ignorancia de nuestra posición histórica como eclesiásticos es uno de los males especiales de nuestro tiempo". Volviendo a un tema que ya habían abordado en el debate anterior, *Laicus* pide más explicaciones sobre "la necesidad de una *segunda reforma*". *Clericus* señala que "muchos de entre el clero y los laicos" en la actualidad "menosprecian" los Sacramentos. Citando el Bautismo como ejemplo, *Clericus* pregunta: "¿Acaso algunas denominaciones no han inventado un rito de dedicación en lugar del Bautismo? [...]. De nuevo existe una secta bien conocida, que niega tanto el Bautismo como la cena del Señor.[26]

A insistencia de *Laicus* para que precise la reforma que él propondría, *Clericus* responde: "La Iglesia [...] no debería *cambiar* los artículos, debería *completarlos*; añadir las protestas contra el erastianismo y el latitudinarismo que los han enquistado".

Después de que *Clericus* enumera los distintos abusos de la Iglesia de Inglaterra, *Laicus* reconoce que "a medida que pasa el tiempo cada vez hacen falta más artículos de fe para asegurar la pureza de la Iglesia, de acuerdo con el surgimiento de las sucesivas herejías y errores". *Laicus* también reconoce que la afirmación de que "las doctrinas de la Iglesia católica [...] son bastante coherentes con nuestros artículos", pero presiona para que se haga una descripción del "protestantismo", que *Clericus* describe como

> la religión de la llamada libertad e independencia, que detesta la superstición, sospecha del formalismo, es envidiosa del oficio sacerdotal, fomenta el culto desde el corazón; características que admiten una buena o mala interpretación, pero que, entendidas como las comprenden la mayoría de las personas que practican con celo la llamada doctrina protestante, son (insisto) totalmente incoherentes con la Liturgia de nuestra Iglesia.

Tras señalar que el resultado de "el espíritu innovador de estos tiempos" era "la negligencia, en términos comparativos, de los detalles del deber", abandonando "los artículos de fe y la observancia positiva y ritual como si no fueran dignos de la atención de un cristiano espiritual, como algo monástico, supersticioso, como aspectos menores y puramente formales, o como un culto rancio y estrecho de miras", *Clericus* reitera su convicción de que tales "corrupciones

---

[26] Esta "secta" puede hacer referencia a los cuáqueros, que ni practican el bautismo ni celebran la Cena del Señor.

están aflorando y que, tarde o temprano, será necesaria una segunda reforma".

Además de sus tratados sobre la Iglesia, Newman decidió pronunciar una serie de conferencias en la capilla Adam de Brome de St. Mary's Church, mismas que fueron publicadas como *Lectures on the Prophetical Office of the Church viewed relatively to Romanism and popular Protestantism* (1837).[27] El "propósito formal" de este volumen era "establecer una doctrina propia", la *Via Media* anglicana; no obstante, estas conferencias estaban más o menos dirigidas contra aspectos de la enseñanza católica romana (apartado 1.1). Señalaba que si bien los romanistas siempre han insistido en la importancia de la Iglesia, "los protestantes lo habían descuidado", a pesar de que el Credo "les vincula a la fe en la santa Iglesia católica". En consecuencia, no sólo aprovechaba la ocasión para rastrear "los supuestos males que se derivan de la doctrina de la infalibilidad" y para atacar determinadas doctrinas católicas romanas como el purgatorio, sino que también criticó "el abuso del Juicio Privado", confesando sin reservas "las deficiencias y retrocesos del sistema anglicano" (apartado 1.2).

En un análisis en retrospectiva cuatro décadas después, Newman afirmó que "al menos la mitad del volumen [...] consiste en una defensa, más o menos intachable, de los principios y doctrinas católicos", incluyendo su posición eclesiológica de que

> la Iglesia que fundaron los apóstoles está "divina y eternamente encaminada a la enseñanza de la verdad", es "indefectible en su testimonio de la fe cristiana", "tiene un don sobrenatural" para transmitirla y es "infalible en lo que se refiere a la fe salvífica" (apartado 1.2).

---

[27] Las *Lectures on the Prophetical Office* de Newman se volvieron a publicar con un extenso "Prefacio a la tercera edición" como primer volumen de *The Via Media of The Anglican Church Illustrated in Lectures, Letters and Tracts Written between 1830 and 1841*, Londres, Longmans, Green, 1901; en lo sucesivo citado como POC. Para un análisis en profundidad, véase J. Elamparayil, *John Henry Newman's Lectures on the Prophetical Office of the Church: A Contextual History and Ecclesiological Analysis* (tesis doctoral no publicada), The Catholic University of America, 2012.

Simultáneamente, caracterizó su *Via Media* como una hipótesis teológica: "Una sugerencia de perspectivas más o menos probables o posibles" (apartado 1.3).

> Dichas hipótesis son enteramente legítimas y a menudo necesarias; dado que lo que manifiestan puede ser verdadero, pero no ha sido o no puede ser probado; y las probabilidades [...] son a veces un asunto que en primera instancia es poco más que una conjetura. Aun así, estas hipótesis apelan a la imaginación más que a la razón, y aunque pueden suscitar en el lector más simpatías de las que estrictamente les corresponden, no admiten, y por eso no pueden admitir, una refutación lógica (apartado 1.3).

4. ¿Dónde está hoy la Iglesia de los Apóstoles? (1840-1845)

Para que cualquier hipótesis sea sostenible, debe concordar con los hechos, y ese fue el problema principal de la *Via Media* de Newman. Como reconocería más tarde: "El protestantismo y el papado son religiones reales [...] pero la *Via Media*, considerada como sistema integral, apenas tiene entidad, salvo en el papel".[28] El esfuerzo de Newman por localizar una eclesiología anglicana a medio camino entre las supuestas desviaciones de la Iglesia católica romana y las supuestas carencias protestantes encalló por dos motivos: (1) Desde un punto de vista teológico, se dio cuenta de que "no podía demostrar que la comunión anglicana era una parte integral de la Única Iglesia, sobre la base de que su enseñanza era apostólica o católica, sin razonar a favor de lo que comúnmente se llaman corrupciones romanas".[29] (2) Desde un punto de vista personal, una serie de acontecimientos le llevó a convencerse de que en lugar de existir una *Via Media* entre el catolicismo romano y el protestantismo, la esencia de la Iglesia de

---

[28] "Preface to the Third Edition" punto 1.4, *POC* xxiv.
[29] *Apologia*, 149.

Inglaterra era protestante. El principal de estos acontecimientos fue la reacción popular contra su *Tract 90*, "Remarks on certain Passages of the Thirty-nine Articles" (1841), en el que trataba de demostrar que los *Treinta y nueve artículos* –la enseñanza doctrinal oficial de la Iglesia de Inglaterra– podrían reinterpretarse en sentido católico.

La indignación contra el *Tract 90* fue abrumadora: los obispos anglicanos lo condenaron en sus cartas diocesanas oficiales; los liberales de Oxford lo reprobaron en sus sermones y sus publicaciones; la prensa popular tuvo carta blanca en su crítica: Newman se sintió como si estuviera siendo perseguido implacablemente.[30] Una cosa quedó clara: la *Via Media* era insostenible: "No hay más que dos alternativas: el camino a Roma, y el camino al ateísmo. El anglicanismo es la posada a medio camino del primero y el liberalismo es la que se encuentra a medio camino del segundo".[31]

Sin embargo, convertirse en católico romano no fue una decisión fácil. Para empezar, durante años Newman había criticado las doctrinas romanas por no estar basadas en las Escrituras y había condenado las devociones papistas como supersticiosas. Sólo en vísperas de su entrada a la Iglesia católica romana confesó que no había reconocido la Iglesia de Roma "tan antigua, tan extendida, tan fecunda en los santos". Atribuyó este fracaso a su adhesión al antipapismo, que era "prácticamente un consenso de los teólogos de mi Iglesia".[32] En segundo lugar, adquirió gradualmente "la profunda e invariable convicción de que nuestra Iglesia está en el cisma, y que mi salvación depende de mi ingreso en la Iglesia de Roma".[33] Reconociendo que el "estado actual de los católicos romanos es completamente insatisfactorio", sentía que "la garantía para cualquiera que desee abandonar

---

[30] *Apologia*, 138.
[31] *Apologia*, 160.
[32] "Retraction of Anti-Catholic Statements", *Via Media* 2, pp. 427-433.
[33] *Apologia*, 177.

nuestra Iglesia no es otro que una llamada, simple y directa, del deber"; su "sencilla pregunta" era:

> ¿Acaso puedo yo (es una cuestión personal: no se trata de si otro puede, sino de si puedo yo) salvarme en el seno de la Iglesia de Inglaterra? Si muriera esta noche, ¿estaría a salvo? ¿Es un pecado mortal en mí no unirme a otra comunión?[34]

Newman, que nunca dejó de ser un historiador imaginativo, se preguntaba: si Ambrosio o Agustín vinieran a Oxford, ¿a qué Iglesia acudirían? En respuesta, formuló una nueva "hipótesis": el catolicismo contemporáneo, en su enseñanza, conducta, culto y gobierno, es un desarrollo genuino de la religión de la Iglesia primitiva.

5. Iglesia: jerarquía y laicado (1846-1863)

Una vez que Newman se integró en la Iglesia católica de Roma, se podría asumir fácilmente que su búsqueda eclesial había concluido y que sus posiciones eclesiológicas habían quedado fijadas para el resto de su vida; dicha suposición parece verse corroborada por su afirmación en *Apologia* (1864):

> A partir del momento en que me hice católico, por supuesto que no tengo más historia de mis opiniones religiosas que narrar. Al decir esto, no quiero expresar que mi mente haya estado ociosa o que haya abandonado la reflexión sobre asuntos teológicos, sino que no hay cambios que reseñar, y mi ánimo no ha experimentado angustia alguna a este respecto.[35]

Aunque Newman bien podía sostener que no había "abandonado la reflexión sobre asuntos teológicos", la afirmación de que no había "experimentado angustia alguna a este respecto" parece ir dema-

---

[34] *Apologia*, 178-179.
[35] *Apologia*, 184.

siado lejos. Apenas cinco años antes se había visto inesperadamente inmerso en una controversia sobre el papel de los laicos en la Iglesia.[36]

La ocasión inmediata fue un debate sobre las inspecciones que realizaba el gobierno en escuelas católicas para concederles subvenciones públicas. Algunos católicos pensaban que sus escuelas deberían cooperar con el Estado no sólo para recibir subvenciones del gobierno, sino también porque las escuelas podían beneficiarse de dicha supervisión. Además, la cooperación católica sería una prueba de buena voluntad y un signo de buena ciudadanía. Otros católicos (y esta acabó siendo la posición de la jerarquía inglesa) consideraban que autorizar la supervisión estatal equivaldría a permitir que fueran funcionarios protestantes quienes establecieran el plan de estudios y supervisaran la enseñanza en las escuelas católicas, interfiriendo así con la libertad religiosa.

Este debate tuvo lugar en las páginas de *The Rambler*, una revista de actualidad que era propiedad y estaba editada por laicos, y que en ocasiones había sido crítica con la autoridad eclesiástica. Newman, que era amigo de varios de sus editores y colaboradores, quería que la revista perdurara, puesto que era una voz única del laicado católico culto en la Inglaterra de ese tiempo. Cuando los obispos parecían estaban a punto de condenar la revista, Newman, a instancias de su obispo, aceptó, si bien con mucha reticencia, el puesto de editor como manera de salvar la situación. En una editorial sin firma a propósito de la controversia sobre la Comisión Real de Educación Elemental, Newman afirmó:

> Por lo tanto, reconociendo plenamente las prerrogativas del episco-pado, creemos sin doblez alguna, tanto por lo razonable del asunto como, especialmente, por la prudencia, consideración y discreción que les pertenecen personalmente, que sus Excelencias [los obispos ingle-

---

[36] Véase J. H. Newman, *On Consulting the Faithful in Matters of Doctrine*, editado por John Coulson, Nueva York, Sheed & Ward, 1961, pp. 1-49; en lo sucesivo citado como Coulson.

ses] albergan un auténtico deseo de conocer la opinión de los seglares sobre las cuestiones que afectan especialmente a estos seglares. Si se consulta a los fieles incluso a la hora de preparar definiciones dogmáticas, como ha sucedido recientemente con el dogma de la Inmaculada Concepción, es al menos igual de natural anticipar tal acto de amabilidad y simpatía en grandes cuestiones prácticas, por la condescendencia que corresponde a quienes son *forma facti gregis ex animo* [constituidos en ejemplos del rebaño].[37]

En este pasaje, Newman sostenía no sólo que los obispos debían consultar a los seglares sobre el futuro de las escuelas católicas, puesto que eran los seglares quienes asistían y financiaban dichas escuelas, sino que además esta consulta estaba justificada eclesiológicamente. Después de todo, el papa Pío IX, antes de la definición dogmática de la Inmaculada Concepción, el 8 de diciembre de 1854, había promovido un largo proceso de consulta para valorar si dicho dogma era un artículo de fe de los católicos de todo el mundo.

El editorial de Newman encendió tal debate que éste se sintió obligado a responder en el siguiente número con un artículo titulado "On Consulting the Faithful in Matters of Doctrine". Tras analizar el significado de "consulta", se centró en el aspecto principal: "El cuerpo de los fieles es uno de los testigos del hecho de la tradición de la doctrina revelada, y porque su *consensus* en toda la cristiandad es la voz infalible de la Iglesia", creo que no me equivoco al afirmar que la tradición de los apóstoles, comprometida con toda la Iglesia, con sus distintos elementos y funciones *per modum unius* (como una unidad), se manifiesta de forma diversa en distintos momentos: a veces por boca del episcopado, otras por medio de los doctores (maestros de la Iglesia), a veces a través del pueblo, otras ocasiones mediante liturgias, ritos, ceremonias y costumbres, o en acontecimientos, debates, movimientos y todos los fenómenos que se conocen con el nombre de historia.[38]

---

[37] Coulson, p. 13; el texto en latín corresponde a 1 Pedro 5, 3.
[38] *Ibid.*, p. 63.

Como ejemplo, Newman citó la encíclica del papa Pío IX, que, antes de la proclamación del dogma de la Inmaculada Concepción, procuró "la confirmación del sentimiento de los fieles tanto sobre la doctrina como sobre su definición". La razón para dicha consulta había sido bien definida por el obispo de Birmingham, Bernard Ulla-thorne: "Y son los devotos los que tienen el instinto más cierto para discernir los misterios cuya gracia insufla el Espíritu Santo a través de la Iglesia, y los que no dudan en rechazar lo que es ajeno a las enseñanzas de ésta".[39]

Después de revisar sumariamente las opiniones de una serie de teólogos, Newman retomó su argumento principal: "El *consensus fidelium* ha sido relegado, en las mentes de muchos, a una posición subordinada. Sin embargo, todas las partes que constituyen la Iglesia tienen sus propias funciones, y no es conveniente descuidar ninguna de ellas".[40]

Por lo tanto, "hay algo en la *pastorum et fidelium conspiratio* que no depende sólo de los pastores".[41] Una docena de años más tarde, Newman incluyó una versión revisada de este artículo en una nueva edición de su obra *The Arians of the Fourth Century*. Tras aprovechar la oportunidad de explicar "los tres aspectos que suscitaron objeciones",[42] reiteró su postura anterior:

El episcopado [...] en tanto que una categoría u orden de hombres, no supo desempeñar un papel positivo en los problemas que siguieron al Concilio [de Nicea], mientras que los seglares sí. El pueblo católico, a lo largo y ancho de la cristiandad, defendió sin tregua la verdad católica cuando los obispos faltaron a este deber.[43]

---

[39] *Ibid.*, p. 73.
[40] *Ibid.*, p. 103.
[41] *Ibid.*, p. 104: *pastorum et fidelium conspiratio* significa, de manera literal, la "respiración conjunta de los pastores y los fieles".
[42] *Ibid.*, p. 115; los tres "aspectos" eran: (1) "se dio una suspensión temporal de las funciones de la *Ecclesia docens*"; (2) "la Conferencia Episcopal falló en su confesión de la fe"; (3) los consejos generales "dijeron lo que no tenían que haber dicho, o, con sus acciones, oscurecieron y comprometieron la verdad revelada".
[43] *Ibid.*, p. 109.

En resumen, fueron los seglares quienes conservaron la fe en la que fallaron los obispos.

Es más, algunos Papas han sido culpables de una falta similar. "El Papa, en tanto que doctor particular, y mucho más los obispos, cuando no dispensan enseñanzas formalmente pueden errar, como vimos que erraron en el siglo VI".[44] Si "en unas ocasiones, el Papa; en otras ocasiones, una sede patriarcal, metropolitana u otra sede importante, en otras, consejos generales, dijeron lo que no tenían que haber dicho, o, con sus acciones, oscurecieron y comprometieron la verdad revelada"; "por otra parte, fueron los fieles cristianos, quienes, guiados por la Providencia, fueron la fuerza eclesiástica de Atanasio, Hilario, Eusebio de Vercelli y otros grandes confesores solitarios, que sin esta fuerza habrían fracasado".[45] En suma, el laicado tiene una función primordial en mantener a la Iglesia dentro de la verdadera fe.

6. El magisterio de la Iglesia (1864-1878)

Tras la favorable recepción de su *Apologia* (1865), Newman empezó a publicar de nuevo muchas de las obras de su periodo anglicano, algunas con anotaciones, otras con revisiones de mayor o menor envergadura. En 1877, en el cuadragésimo aniversario de su primera edición, volvió a publicar *On the Prophetical Office of the Church* con un nuevo prefacio. Además de disculparse por su animosidad contra Roma en la edición original, reconocía que su hipótesis de que la Iglesia anglicana podía constituir una *Via Media* entre el protestantismo y Roma no era correcta. Aprovechó también la ocasión para abordar un asunto pastoral neurálgico: ¿por qué algunas personas, que "perciben en la religión católica la sustancia de la verdad desnuda; una profundidad,

---

[44] *Ibid.*, p. 113; esta declaración se publicó tras la promulgación de las enseñanzas del Concilio Vaticano Primero sobre el primado papal y la infalibilidad de la Iglesia.
[45] *Ibid.*, p. 114.

fuerza, coherencia, elasticidad y vitalidad; una nobleza y grandeza, un poder de compasión y una fuente de recursos frente a las distintas dolencias del alma, y una adaptación a todos los tipos y circunstancias de la humanidad", no abrazan la fe católica?

En opinión de Newman, una causa fundamental de esta reticencia eran las diferencias "entre las enseñanzas formales [de la Iglesia] y sus manifestaciones populares y políticas".[46] Subrayó que la organización de la Iglesia "debe ser necesariamente compleja, considerando las muchas funciones que tiene que cumplir, los muchos objetivos que se deben considerar, los muchos intereses que debe garantizar" (punto 2.3). La situación de la Iglesia es comparable a las dificultades de "un único hombre para cumplir con sus distintos deberes y con sus innumerables conocidos; para ser a la vez padre y juez, soldado y ministro de Dios, filósofo y hombre de Estado, político o cortesano y católico", una serie de responsabilidades contradictorias que afectaban no sólo a la institución de la Iglesia, sino también a sus líderes (punto 2.3). Reconoció que, dentro de la Iglesia, sus "legisladores y autoridades", en tanto que hombres, en determinadas ocasiones no han estado a la altura de lo que se esperaba de ellos, lo que ha dado lugar a críticas, justas o injustas, por razón de los especiales antagonismos o compromisos con que, bajo su guía, se ha llevado a cabo la multiforme misión de la Iglesia.

A pesar de estas carencias, Jesús, en la Ascensión, "dejó tras él a su representante, que no era otro que la Santa Iglesia, su Esposa mística y su Cuerpo místico, una Institución Divina, santuario y órgano del Paráclito, que habla a través de ella hasta que llegue el fin". En consecuencia, Jesucristo confió a Su Iglesia sus propios oficios de "Profeta, Sacerdote y Rey"; "tres oficios que son indivisibles, aunque

---

[46] Newman abordó a continuación su otra gran preocupación: la gran diferencia entre el "catolicismo moderno" y "la religión de la Iglesia Primitiva" en su *Essay on the Development of Christian Doctrine* (1845).

diversos, en tanto que se refieren a la enseñanza, al gobierno y al ministerio sagrado".

El cristianismo, pues, es a la vez filosofía, poder político y rito religioso; en tanto que religión, es santa; en tanto que filosofía, es apostólica, y en tanto que poder político, es imperial, y por lo tanto una y católica. En cuanto es una religión, su núcleo de acción principal es la relación entre el pastor y su grey; en cuanto es filosofía, las Escuelas; y en tanto gobierno, el Papado y su Curia (punto 2.4).

Aunque la Iglesia "ha ejercido sustancialmente estas tres funciones desde el primer momento, se desarrollaron en plena proporción una tras otra, según se sucedían los siglos"; primero vino el culto, después la teología y finalmente el gobierno con "Roma como su centro".

Para Newman, no sólo es una tarea complicada cumplir con estas tres tareas una por una, sino que es mucho más complicado desarrollarlas en armonía. Por lo tanto, Dios concedió a la Iglesia "infalibilidad en sus enseñanzas formales", protegiéndola indirectamente de "errores graves tanto en el culto como en su acción política"; no obstante, dicha infalibilidad "no la excluye de todos los peligros"; "nada sino el don de la impecabilidad" garantizaría que las autoridades eclesiásticas no puedan incurrir en error alguno, pero "este es un don que no se les ha concedido". En un lenguaje que recordaba al empleado en A Letter to the Duke of Norfolk (1875),[47] Newman señalaba que "podía, por supuesto, haber santidad en el aspecto religioso de la

---

[47] Newman publicó A Letter to His Grace, the Duke of Norfolk on Occasion of Mr. Gladstone's Recent Expostulation, Londres, B. M. Pickering, 1875, en respuesta a la obra de W. E. Gladstone, The Vatican Decrees in Their Bearing on Civil Allegiance: A Political Expostulation, Londres, John Murray, 1874. Newman, en su Letter to Norfolk, abordaba diversos temas planteados por Gladstone (1809-1898): la historia de la Iglesia, Church; la lealtad de los cristianos a su gobierno y a su conciencia; acontecimientos recientes, como la encíclica Quanta Cura y el Syllabus errorum (1864); el Concilio Vaticano Primero (1869-1870) y sus enseñanzas sobre el "magisterio infalible del Sumo Pontífice". Los muchos argumentos eclesiológicos recogidos en Letter to Norfolk merecen un tratamiento independiente y en detalle.

Iglesia, y fundamentos en su aspecto teológico, pero en ella persiste la ambición, maquinación y crueldad del poder político" (punto 2.6).

Contradiciendo los que atribuían las "corrupciones y demás escándalos" de Roma a razones teológicas, Newman insistía en que "la teología es el principio regulador fundamental para todo el sistema eclesiástico": "Es equivalente a la Revelación, y la Revelación es la idea inicial y fundamental del cristianismo. Es la materia sustancial, la causa formal, la expansión del Oficio Profético, y, como tal, ha creado los Oficios Real y Sacerdotal" (punto 2.7).

En cambio, cuando la teología es un factor limitante, no siempre ha sido capaz de frenar a ciertos Papas que "cada cierto tiempo, inducidos por factores seculares del momento, parecen haber estado deseando, aunque sin éxito, aventurarse más allá de las líneas de la teología", ni tampoco ha sido capaz de evitar "que los fieles confiaran en ciertas profecías huecas" o participaran en cultos cuestionables (punto 2.7). De la misma manera, ha sido imposible evitar "que los aspectos teológicos y religiosos de la Iglesia entren en antagonismo con los aspectos políticos" (punto 2.8).

Aunque "la verdad es el principio en el que se basan todas las investigaciones intelectuales, y por lo tanto todas las teológicas, y es el motivo que les da efecto", Newman reconoce que "la novedad a menudo es interpretada como error para los que no están preparados para ella" (punto 2.9). Eligiendo un caso polémico que se ha usado con frecuencia contra la Iglesia de Roma, Newman comentó:

> Galileo pudo haber estado en lo cierto en su conclusión de que la Tierra se mueve; considerarlo un hereje pudo haber sido un error; pero no había nada desacertado en censurar una afirmación abrupta, rompedora, perturbadora y sin verificar; y más cuando esta afirmación, impertinente e inoportuna, se emitió en un momento en el que los límites de la verdad revelada aún no se habían establecido. Un hombre tiene que estar muy seguro de lo que dice antes de arriesgarse a contradecir la palabra de Dios (punto 2.10).

Para Newman "la veracidad, como otras virtudes, está en el punto medio" (punto 2.13): a veces "no decir claramente, o no soportar que nos digan a la cara todo lo que hay que decir, es la peor muestra de caridad, la forma de acción más irritante y la política más desgraciada", especialmente cuando "la ocultación, la componenda y la evasión cooperan con el espíritu del error"; no obstante "una afirmación puede ser cierta y, sin embargo, proferirla en un determinado momento y lugar puede ser temerario, escandaloso y ofensivo a los oídos piadosos aunque no sea herética ni errónea" (punto 2.12).[48]

Como ejemplo, Newman consideró la veneración popular de reliquias, uno de los ejemplos de devociones populares que habían supuesto un obstáculo en su propia decisión de convertirse al catolicismo. Como "en determinados países, la verdad y el error religiosos están tan íntimamente entretejidos que la separación es imposible", se planteó una situación en la que un prelado pueda permitir una devoción popular, aunque "no esté seguro ni pueda garantizar su veracidad, pero sí aprueba y celebra el entusiasmo de la devoción popular que despierta un hecho legendario". Para Newman, la dificultad radicaba en "determinar el punto en el que dichas manifestaciones religiosas carecen de moderación, y una parte de ellas es incorrecta"; estaría bien si se pudiera prescindir completamente de cualquier aspecto sospechoso (punto 2.16).

Newman comprueba un contraste fundamental entre las enseñanzas de la Iglesia en materia de fe y su tolerancia de la devoción popular:

> La Iglesia católica es inequívoca en su enunciación de la doctrina, y no permite libertad para disentir de sus decisiones (en aquellas cuestiones en las que interviene con la autoridad que le da su carácter infalible); su tono a la hora de tolerar las devociones populares es distinto, ya que se trata de algo personal y subjetivo.

---

[48] La expresión "temerario, escandaloso y ofensivo a los oídos piadosos" era una frase utilizada en los documentos oficiales del Vaticano para clasificar opiniones teológicas que se consideraban erróneas, aunque no heréticas.

No obstante, reconocía que "existe una vía religiosa para adaptarnos a aquellos entre los que vivimos" (punto 2.22).

Coinvirtiendo este argumento en una consideración del "oficio real de la Iglesia", Newman señaló que "había casos en los que las manifestaciones política e imperial de la religión destacan especialmente mientras que sus deberes teológicos y de devoción pasan a segundo plano" (punto 2.24). Tras revisar una serie de "colisiones y compromisos" entre los oficios real y profético de la Iglesia, afirmó que "ningún acto puede constituir un error teológico cuando se trata de algo absoluta e incuestionablemente necesario para la unidad, santidad y paz de la Iglesia" (punto 2.27). Para Newman era "inconcebible" que Cristo "pretendiera que la acción de cualesquiera de las funciones de Su Iglesia supusiera la destrucción de otra" (punto 2:30). Al invocar el principio de que "lo que es grande se niega a verse reducido por el gobierno humano, y a tener que armonizar a la fuerza sus muchas facetas", Newman concluyó de esta manera su prefacio:

> Así pues, no debemos sorprendernos si también la Santa Iglesia, la creación sobrenatural de Dios, es un ejemplo de la misma ley: la que nos presenta como su característica principal una admirable coherencia y unidad de palabra y acto, y a la vez, atravesada y desacreditada de tanto en tanto por aparentes anomalías que requieren, y que exigen, un ejercicio de fe por nuestra parte (punto 2:36).

Après Concert

De la misma forma que los melómanos reconocen los temas y estilos característicos de cada compositor, también los lectores pueden reconocer una serie de temas eclesiológicos recurrentes en los sermones, tractos, conferencias y cartas de Newman. Paralelamente a su conversión en la adolescencia, "cayó en la órbita de un Credo definido"[49]

---

[49] *Apología*, p. 16.

cuyos artículos incluyen una profesión de fe en una Iglesia que es "una, santa, católica y apostólica",[50] y también hizo suyo el proverbio de Thomas Scott: "Antes la santidad que la paz".[51] Por lo tanto, no es sorprendente que la "santidad" sea un tema recurrente en los escritos espirituales de Newman. No obstante, en un primer momento la "santidad" parece haberse referido más a su propia trayectoria intelectual que a un componente de su eclesiología. No obstante, a partir de que empezara a predicar como sacerdote anglicano, su énfasis en la "santidad" pasó a tener una dimensión eclesial: Jesús llama a los fieles a la santidad a través de la Iglesia.

En los primeros sermones anglicanos de Newman se observa un énfasis creciente en la naturaleza apostólica y sacramental de la Iglesia: Jesús confió los medios sacramentales para alcanzar la santidad a sus apóstoles, que a su vez confiaron estos canales de salvación a sus sucesores en la Iglesia. De la misma manera, en virtud de los sacramentos del bautismo y la eucaristía, los cristianos pueden hoy acceder a los canales de santidad que son parte del legado apostólico de la Iglesia. Sin embargo, si bien la santidad y carácter apostólico de la Iglesia fueron temas habituales en los sermones de Newman en su primera época como anglicano, la unidad y la naturaleza católica de la Iglesia resultaron más problemáticas. Reconociendo la diversidad, o incluso la abierta rivalidad, entre las distintas denominaciones cristianas de su época, empezó describiendo la unidad de la Iglesia en términos de que las distintas Iglesias de cada país no eran sino ramas de la Iglesia única. No obstante, esta "teoría de las ramas" no concordaba con los hechos: en Inglaterra coexistían numerosas denominaciones distintas, de las cuales casi todas alegaban que eran la única Iglesia

---

[50] Estos términos de descripción "una, santa, católica y apostólica" se han denominado tradicionalmente las cuatro "notas" (o también "marcas" o "atributos") de la Iglesia en el sentido de que son todos dimensiones esenciales y características que identifican a la Iglesia. A lo largo de los siglos, los teólogos han propuesto una serie de "notas" adicionales.

[51] *Ibid.*, p. 17.

verdadera y se negaban a reconocer a sus rivales como Iglesias; no se percibían como ramas de la misma vid.

Con el desarrollo del Movimiento de Oxford, sin dejar de subrayar la santidad y naturaleza apostólica de la Iglesia, Newman propuso una nueva hipótesis sobre la unidad y carácter católico de la Iglesia: la Iglesia de Inglaterra era la *Via Media* entre el protestantismo y la Iglesia de Roma. Independientemente de su atractivo teórico, esta nueva hipótesis se vio avasallada por una serie de acontecimientos que convencieron a Newman de que la Iglesia de Inglaterra era básicamente protestante. Sin embargo, Newman no podía sencillamente pasar a tomar partido por Roma. Debido a su arraigado antirromanismo (fundado en lo que él consideraba las exageraciones doctrinales y los aspavientos en la devoción de la Iglesia de Roma) era necesario probar una nueva hipótesis: ¿qué relación existe entre la Iglesia católica de Roma contemporánea y la Iglesia de los Apóstoles? Su respuesta fue, simultáneamente, rompedora en términos eclesiológicos y personalmente satisfactoria: la Iglesia católica de Roma contemporánea constituye un desarrollo genuino a partir de la Iglesia de los Apóstoles.[52]

Si bien Newman consideraba que su ingreso en la Iglesia católica era como "llegar a puerto tras una navegación tormentosa",[53] siguió encontrando ocasión para abordar cuestiones importantes. La primera era la función de los seglares en la Iglesia. En el momento del bautismo, los seglares reciben el *sensus fidei*, un don divino que les permite tanto recibir auténticamente el Evangelio como evitar sus

---

[52] En el tiempo en que Newman escribió su *Essay on the Development of Christian Doctrine* (1845), el desarrollo doctrinal era una idea teológica innovadora, aunque ciertamente estaba de acuerdo con el principio que Newman había adoptado de Thomas Scott en su adolescencia: "El crecimiento es la única evidencia de la vida" (*Apologia*, p. 17). Para una discusión del *Essay on Development*, de Newman, véase G. McCarren, *"Tests" or "Notes"? A Critical Evaluation of the Criteria for Genuine Doctrinal Development in John Henry Newman's, Essay on the Development of Christian Doctrine* (tesis no publicada), Washington, D. C., The Catholic University of America, 1998.

[53] *Apología*, p. 184

malas interpretaciones aun cuando provengan de miembros de la jerarquía eclesiástica. La segunda era la cuestión de que los ministros de la Iglesia ordenados, que son maestros de la doctrina apostólica, deben "consultar" el *sensus fidelium* como parte de su misión docente. No obstante, pasarían casi dos décadas antes de que Newman tuviera oportunidad de analizar las respectivas funciones de los seglares y de los líderes de la Iglesia desde una perspectiva más amplia.

Hacía tiempo que Newman había reconocido la enorme complejidad de la Iglesia y sus numerosas responsabilidades colaterales que podrían generar fácilmente conflictos intramuros. Al considerar la función de la Iglesia como una continuidad del ejercicio de los tres oficios (*munera*) de Jesús (en tanto que Profeta, Sacerdote y Rey), Newman trató de dibujar tanto las prerrogativas como las limitaciones del ejercicio de cada uno de estos tres oficios por parte de la Iglesia. Aun otorgando el lugar de honor al oficio profético de enseñar la doctrina de Jesucristo, Newman reconoció abiertamente que en algún momento la Iglesia había mostrado reticencias, e incluso resistencia, a reconocer un verdadero desarrollo doctrinal; además, en otras ocasiones los líderes de la Iglesia habían permitido que florecieran devociones cuestionables o no habían sido capaces de tomar decisiones eclesiásticas adecuadas. Si bien la Iglesia es responsable de ejercer los oficios de Cristo mediador, está formada por pecadores que muchas veces no han sido capaces de ejercer estos oficios como lo hubiera hecho Cristo. Para Newman, la Iglesia que es una, santa, católica y apostólica, es el Reino mediador de Jesucristo, que ejerce su triple oficio de Profeta, Sacerdote y Rey.

En suma, la eclesiología de Newman partió de lo que se podría llamar un individualismo evangélico para después metamorfosearse en un personalismo evangélico, cuyos elementos clave eran la enseñanza apostólica, el gobierno jerárquico y el sistema sacramental. No obstante, existían diversas discordancias entre estos elementos. Por ejemplo, el hecho de que Newman, en su etapa anglicana, tratara de defender el carácter apostólico de la Iglesia de Inglaterra chocaba con su esencia protestante. También la defensa que, ya como católico, hizo Newman de la fe apostólica generó tensiones entre la autoridad de la jerarquía eclesiástica y el papel de los seglares. Los escritos eclesiológicos de Newman están llamados a suscitar tanto fascinación como motivación en los lectores de hoy: fascinación por la forma en la que abordó conscientemente las cuestiones eclesiológicas críticas de su época, y motivación para seguir sus ejemplos enfrentándose a los acuciantes problemas eclesiológicos de hoy.

Referencias

BELLASIS, E., *Cardinal Newman as a Musician*, Londes, Kegan Paul, Trench, Trübner, and Co., 1892 [en línea], disponible en <http://www.gutenberg.org/files/ 26427/26427-h/26427-h.htm>.

BUTLER, J., *Analogy of Religion, Natural and Revealed*, Londres, Routledge, 1885.

CHADWICK, O., *The Spirit of the Oxford Movement: Tractarian Essays*, Cambridge, University Press, 1990.

CHURCH, R. W., *The Oxford Movement: Twelve Years: 1833-1845*, Londres, Macmillan, 1922.

ELAMPARAYIL, J., *John Henry Newman's, Lectures on the Prophetical Office of the Church: A Contextual History and Ecclesiological Analysis* (tesis doctoral no publicada), Washington, D. C., The Catholic University of America, 2012.

GLADSTONE'S, W. E., *The Vatican Decrees in Their Bearing on Civil Allegiance: A Political Expostulation*, Londres, John Murray, 1874.

MCCARREN, G., *"Tests" or "Notes"? A Critical Evaluation of the Criteria for Genuine Doctrinal Development in John Henry Newman's, Essay on the Development of Christian Doctrine* (tesis no publicada), Washington, D. C., The Catholic University of America, 1998.

MILNER, J., *The History of the Church of Christ*, Londres, Longman, Brown, Green and Longmans, 1887.

NEWMAN, J. H., *A Letter to His Grace, the Duke of Norfolk on Occasion of Mr. Gladstone's Recent Expostulation*, Londres, B. M. Pickering, 1875.

NEWMAN, J. H., *The Via Media of The Anglican Church Illustrated in Lectures, Letters and Tracts Written between 1830 and 1841*, Londres, Longmans, Green, 1901.

———, *Autobiographical Writings*, introducción de Henry Tristram, Nueva York, Sheed and Ward, 1957.

———, *On Consulting the Faithful in Matters of Doctrine*, editado por John Coulson, Nueva York, Sheed & Ward, 1961.   ,
Apologia Pro Vita Sua (1864), editado por David J. DeLaura, Nueva York, W.W. Norton, 1968.

———, *Tracts for the Times: by Members of the University of Oxford*, 6 vols., Nueva York, AMS Press, 1969.

———, *John Henry Newman: Sermons, 1824-1843*, Volumen I: Sermons on the Liturgy and Sacraments and on Christ the Mediator, editado por Placid Murray, Oxford, Clarendon Press, 1991.

———, "On the One Catholic and Apostolic Church" (19 de noviembre de 1826), en *John Henry Newman: Sermons, 1824-1843*, Volumen IV: The Church and Miscellaneous Sermons at St. Mary's and Littlemore, editado por Francis J. McGrath, Oxford, Clarendon Press, 2011.

NEWTON, Th., *Dissertations on the Prophecies*, Londres, J. F. Dove, 1880.

NORMAN, E. R., *Anti-Catholicism in Victorian England*, Nueva York, Barnes and Noble, 1968.

O'CONNELL, M. R., *The Oxford Conspirators; A History of the Oxford Movement 1833-1845*, Nueva York, Macmillan, 1969.

PAZ, D. G., *Nineteenth-Century English Religious Traditions: Retrospect and Prospect*, Westport, Greenwood, 1995.

SCOTT, Th., *Commentary on the Whole Bible*.

V
Más poeta que policía: Newman y la educación "en el amplio sentido de la palabra"

Paul Shrimpton

En lo tocante a la educación, la fama de John Henry Newman se debe casi por entero a los discursos y conferencias que conforman *The Idea of a University* (1873). Descrito por un prominente historiador de la educación universitaria como "sin lugar a dudas, el tratado más importante en lengua inglesa acerca de la naturaleza y significado de la educación superior",[1] se le cita sin cesar, en especial por aquellos que desde la educación universitaria ven en Newman al más inspirado defensor de una educación liberal.

Es apenas rebatible afirmar que Newman ofrece una muy necesaria visión de la educación para el presente, pues muchos ven en *Idea* una alternativa atractiva para la postura informe, relativista y poco inspiradora de muchas universidades contemporáneas. El concepto

---

[1]   S. Rothblatt, "An Oxonian 'Idea' of a University: J. H. Newman and 'well-being'", *The History of the University of Oxford*, VI, M. G. Brock y M. C. Curthoys (ed.), Oxford, OUP, 1997, p. 287.

de la universidad como una institución con propósito único se disolvió casi por completo; las universidades modernas funcionan cada vez más como organizaciones fuertemente burocráticas y orientadas al rendimiento, comprometidas con una muy estrecha concepción económica de la "excelencia humana". Así como Newman luchó en contra de las tendencias destructivas de la educación de su tiempo, en el presente hay quien lucha en contra de la falta de dirección y pérdida de visión de la universidad moderna. Al intentar recuperar el sentido de la finalidad, varias de estas críticas modernas se valen de *Idea* como una referencia clave,[2] y hay quien utiliza a Newman como figura central de su análisis.[3]

Así, Alasdair MacIntyre, en una conferencia pronunciada en 2009, aseguró que "Newman pone en entredicho tres aspectos centrales de la manera en que las actuales universidades de investigación comprenden su misión: la búsqueda de conocimiento altamente especializado, la idea que la universidad secular tiene acerca de la secularidad, y la autojustificación de la universidad, que apela a consideraciones de utilidad pública".[4] Cada uno de estos aspectos se refiere a una afirmación central contenida en *Idea*, pero que la universidad moderna rechaza, no sólo como falsa, sino como irrelevante. MacIntyre afirma que este rechazo delata un defecto fundamental de la moderna universidad de investigación, que le impide emprender una autocrítica radical y la evaluación de sus fines. Precisamente porque las universidades "exitosas" han perdido la capacidad para pensar

---

[2]   Algunos ejemplos son los siguientes: D. Maskell, I. Robinson, *The new Idea of a University*, 2001; G. Graham, *Universities: the Recovery of an Idea*, 2002; S. Collini, *What are Universities for?*, 2012; M. Higton, *A Theology of Higher Education*, 2012, así como A. MacIntyre, *God, Philosophy, Universities*, 2009.

[3]   Newman es la figura central en J. Pelikan, *The Idea of the University: a Re-examination*, 1992, y en S. Rothblatt, *The Modern University and its Discontents: the fate of Newman's Legacies in Britain and America*, 1997.

[4]   A. MacIntyre, "The Very Idea of a University: Aristotle, Newman and us", *British Journal of Educational Studies* 57(2009): 350.

acerca de sus propósitos y metas es que ya no se admiten los argumentos de Newman.

El propósito de la educación universitaria

De acuerdo con MacIntyre, si algo tenemos que aprender de Newman es que "la educación universitaria tiene sus fines propios, y nunca se le debe considerar como un mero prólogo o preparación para la educación de posgrado ni subordinar sus fines a los limitados fines que por necesidad persigue un investigador".[5] En otras palabras, la educación universitaria debe considerarse como un fin por sí mismo: se trata de "hacer hombres",[6] es decir, de formar adultos maduros y equilibrados.

¿Cuál es entonces el propósito principal de la universidad de acuerdo con Newman? Por decirlo de la manera más simple, es "enseñar a la gente a pensar". En sus discursos, Newman argumenta que el conocimiento se puede buscar tanto como para cultivar el intelecto como para propósitos prácticos más inmediatos. Afirma que el cultivo del intelecto es un bien por sí mismo y que constituye el fin primario de la universidad; en consecuencia, si bien cualquier materia tiende al cultivo del intelecto, hay algunas que son particularmente apropiadas para este fin, y por ello la universidad debiera concentrarse en estas

---

[5]   A. MacIntyre, *op. cit.*, p. 362. En este texto, MacIntyre hace notar que si bien las universidades contemporáneas justifican su existencia ante estudiantes, donantes y gobiernos presentándose como un medio eficiente para brindar mano de obra capacitada e investigaciones que conduzcan al crecimiento económico, lo que Newman argumentaba es que "en una universidad, las actividades que contribuyen a la enseñanza y el aprendizaje poseen bienes internos que hacen que dichas actividades sean valiosas por sí mismas".

[6]   Newman usó esta frase en "Report on the Organization of the Catholic University of Ireland", octubre de 1851, J. H. Newman, *Campaign in Ireland, Part 1: Catholic University Reports and Other Papers*, W. Neville (ed.), Aberdeen, Irlanda, A. King & Co., 1896, p. 85. Hay que considerar que, como las universidades no estaban abiertas para las mujeres a mediados del siglo XIX, Newman se refiere siempre a jóvenes varones.

materias por sobre todas las demás. Si bien es cierto que las universidades preparan directamente profesionistas por medio de disciplinas como la medicina y el derecho, también lo hacen de manera indirecta; más aún, el cultivo del intelecto puede brindar la mejor preparación para dicho objetivo.

Es importante entender el concepto de conocimiento de Newman, pues prepara el camino para comprender lo que, en su opinión, es uno de los grandes fines de una universidad. "Todo aquello que existe, tal y como la mente del hombre lo contempla, forma un gran sistema o hecho complejo, y esto, por supuesto, se resuelve en un número indefinido de hechos particulares que, siendo porciones de un todo, tienen innumerables relaciones de todo tipo unas con otras." El efecto de una buena educación universitaria es ensanchar la mente: "La acción de un poder formativo, que reduce al orden y sentido la materia de nuestras adquisiciones; haciendo que los objetos de nuestro conocimiento pasen a ser subjetivamente nuestros o, para usar una palabra familiar, es la digestión de lo que recibimos, para que se convierta en la sustancia de nuestros previos pensamientos".[7]

Este conocimiento orgánico y vivo, no tan sólo de las cosas en sí mismas, sino de sus relaciones mutuas, permite al intelecto construir

> una visión conectiva de lo viejo y lo nuevo, lo presente y lo pasado, lo lejano y lo cercano, y puede penetrar en sus influencias recíprocas; sin ello no hay conjunto ni hay centro. No solamente tiene el conocimiento de las cosas, sino también de sus verdaderas relaciones mutuas; el conocimiento, no considerado solamente como adquisición, sino también como filosofía.[8]

---

[7] J. H. Newman, *The Idea of a University: Defined and Illustrated*, Londres, Longmans, Green & Co., 1907 [1873], pp. 45, 134. En adelante esta obra será citada como *Idea* seguida del número de páginas.
[8] J. H. Newman, *op. cit.*, p. 134.

El ganar esta perspectiva panorámica o "hábito filosófico de la mente"[9] es una de las principales metas de una educación universitaria. De esta manera, el abogado, el físico, el geólogo o el economista que estudia en una universidad

> sabrá precisamente dónde está él y su ciencia, ha llegado a ella, por así decirlo, como desde una altura, desde donde puede revisar todo el conocimiento; de esta manera se mantiene alejado de la extravagancia que provoca la rivalidad entre las ciencias, pues ha obtenido de ellas una iluminación especial y amplitud en el entendimiento y libertad y dominio de sí, por lo cual considera la suya propia con una filosofía y un recurso que no pertenecen a sus estudios en sí mismos, sino a una educación liberal.[10]

Podríamos ilustrar el punto de Newman al considerar, por ejemplo, a un estudiante de Economía que toma clases sobre dicha materia, realiza las lecturas de la lista que se le proporciona, escribe ensayos y presenta exámenes. Si además de los libros de texto solamente lee *The Economist* y se relaciona sólo con otros estudiantes de Economía, entonces lo que sucede es que desayuna, come y cena economía. Es casi seguro que un estudiante así desconozca otras disciplinas y métodos, sus puntos de partida y su manera de usar la evidencia, sus modos de argumentar y de alcanzar la verdad; de esa manera, lo más probable es que se viera afectado por la "extravagancia" o parcialidad que apunta Newman y sus juicios se vean menoscabados. En cambio, si la economía se estudiara como Newman lo sugiere, entonces podríamos asentir al argumento de MacIntyre, quien dice que "el conocimiento liberal nos transforma como seres humanos; nos hace ser aquello que debemos ser y tenemos que ser, para ser buenos seres humanos".[11] La

---

[9]   *Ibid.*, p. 51. El escurridizo concepto se explora a detalle en A. Bottone, *The Philosophical Habit of Mind: Rhetoric and Person in John Henry Newman's Dublin Writings,* 2010.

[10] J. H. Newman, *Idea,* 166-167.

[11] Cita tomada de los apuntes de Brian Boyd en las conferencias que llevaron por título "God, Philosophy, Universities" y fueron dictadas en la Universidad de Notre Dame el 6 de noviembre de 2006.

educación liberal enseña a la mente a hacer juicios y ello posibilita a una sola persona para desempeñar cualquier papel. Por ello, la verdadera educación liberal es todo menos impráctica, aunque desconfía de la excesiva especialización.

Al argumentar que el fin de la universidad es el cultivo del intelecto,[12] Newman defiende la universidad de aquellos que pretenden embarazarla con algún otro fin como la utilidad práctica o incluso la formación moral y religiosa. Siguiendo el argumento de Aristóteles de que toda cosa tiene su propia perfección, sea ésta intelectual, estética, moral o práctica, Newman sostiene que el

> abrir la mente, corregirla, refinarla, abrirla al conocimiento y permitirle que digiera, domine, mande y use los conocimientos, el darle poder sobre sus propias facultades, aplicación, flexibilidad, método, precisión, crítica, sagacidad, recursos, dirección y elocuencia, es un objeto tan inteligible [...] como el cultivo de la virtud, al mismo tiempo que es completamente diferente de éste.[13]

Con esto propone lo que la educación liberal es en sí misma: no lo que vale ni el uso que le puede dar la Iglesia. Hacer esta distinción es importante porque Newman se vio confrontado por dos opiniones dominantes, cada una de las cuales tenía una marcada tendencia a utilizar la universidad como vehículo para algo que no era su fin primario y, en consecuencia, tendía a distorsionar la educación que se impartía. Además de su obsesión con "los conocimientos útiles", la

---

[12]   La idea de Newman acerca del conocimiento y la cultura intelectual no es en absoluto idéntica a la de Matthew Arnold. A lo que Newman llama "cultura intelectual" es al "cultivo del intelecto", por medio del cual el intelecto "se ejercita en lo general para así perfeccionar su estado" (J. H. Newman, *Idea*, 165). En cambio, Arnold lo consideraba "la búsqueda de nuestra total perfección [...] por medio del conocimiento de lo mejor que se ha pensado y dicho en el mundo" (M. Arnold, *Culture and Anarchy: An Essay in Political and Social Criticism*, Londres, Sam, Elder & Co., 1869, p. xviii). En consecuencia, para Newman la educación liberal consiste en aprender a pensar, mientras que para Arnold es semejante a un programa de "grandes libros".

[13]   *Idea*, 122-123.

descendencia intelectual de John Locke (el utilitarista Jeremías Bentham, por mencionar alguno) sostenía que solamente la educación bastaba para la moral pública, por lo cual la enseñanza religiosa resultaba redundante; por otro lado, el clero tendía a interesarse en la educación sólo en cuanto sirviera a la religión y a los asuntos eclesiásticos. Newman responde a ambas tendencias defendiendo lo que él sostiene es la actividad propia de la universidad:

> Su actividad directa no es armar el alma contra de la tentación ni consolarla en la aflicción, como tampoco lo es mover un pistón o conducir una locomotora; aun siendo el medio o la condición para el avance material y moral, tomada en y por sí misma, no repara nuestros corazones ni mejora nuestras circunstancias temporales.[14]

Afirma que el fin *directo* de la universidad es el conocimiento o "cultivo del entendimiento", así como el fin directo de los hospitales es la salud corporal. Ninguno de los dos fines se dirige *directamente* a que los hombres sean religiosos. En este sentido, afirma, "la universidad no es *ipso facto* una institución de la Iglesia"; al igual que un hospital, "su incumbencia directa no es hacer a los hombres católicos o religiosos, pues ése es oficio anterior y contemporáneo de la Iglesia". No obstante, los efectos *indirectos* de una universidad pueden ser religiosos. "Así como la Iglesia se sirve de los hospitales para la religión, así se sirve de las universidades". Para "garantizar su carácter religioso y para la moral de sus miembros, siempre ha adosado junto a ella, y dentro de sus recintos seminarios, aulas, colegios y establecimientos monásticos".[15]

Cuando los discursos fueron publicados en un solo volumen por primera vez (en 1852), esta explicación fue reelaborada en el prefacio. Ahí Newman explica que considera a la universidad como el "lugar donde se *enseña* el conocimiento *universal*", lo cual implica, en primer

---

[14] J. H. Newman, *op. cit.*, pp. 120
[15] Primer borrador de la introducción al Discurso VI enviado a J. B. Dalgairns el 21 de julio de 1852, J. H. Newman, Letters and diaries of John Henry Newman, XV, Londres, T. Nelson, 1961-1972; Oxford, Clarendon Press, 1973-2008, pp. 131-132.

lugar, que su objeto principal es intelectual y no moral, y en segundo lugar, que involucra más la difusión del conocimiento que su avance. Ello conlleva que la universidad no es un seminario ni un centro de adiestramiento religioso, pues ello difícilmente la convertiría en "sede de las letras y las ciencias", aunque tampoco es un centro de investigación, porque de esa manera no necesitaría contar con alumnos.[16]

No obstante, tras haber afirmado que "tal es la universidad *por esencia* y con independencia de su relación con la Iglesia", Newman inmediatamente señala que, en la práctica, "la universidad no puede cumplir debidamente con su objeto [...] sin auxilio de la Iglesia". Ello implica que "la Iglesia es necesaria para su *integridad*",[17] con lo cual se refiere a su funcionamiento pleno y armonioso[18]

Es preciso hacer una consideración adicional: Newman explica que el auxilio o incorporación de la Iglesia no significa que se modifiquen las características esenciales de la universidad; su tarea sigue siendo la educación intelectual, pero ahora realiza dicha tarea con la ayuda de la conducción serena de la Iglesia. Newman recuerda a sus lectores:

> Cuando la Iglesia funda una universidad, no lo hace por cultivar el talento, el genio o el conocimiento por sí mismos, sino por mor de sus hijos, con miras a su bienestar espiritual y a su influencia y utilidad religiosas, con el fin de formarlos para que cumplan mejor con sus

---

[16] Para una discusión sobre la opinión de Newman sobre la investigación universitaria véase I. Ker, "Newman's *Idea of a University*. A Guide for the Contemporary University?", *The Idea of a University*, D. Smith y A. K. Langslow (eds.), Londres, Jessica Kingsley, 1999, pp. 12-16; P. Shrimpton, *The "Making of men": The Idea and reality of Newman's University in Oxford and Dublin*, Gracewing, Leominster, 2014, pp. 110, 113-115, 241, 475-478.

[17] *Idea*, IX.

[18] Aquí Newman utiliza la distinción aristotélica entre la *esencia* de una cosa y su *integridad*. La esencia de un objeto se refiere a lo necesario a su naturaleza, mientras que su integridad (*eudaimonia*) se refiere a lo que se requiere para su armonioso funcionamiento o bienestar; es un don añadido a su naturaleza. Sin ella, esa naturaleza sí está completa y puede actuar y cumplir su fin, pero no con facilidad.

respectivos cargos en la vida, y para hacer de ellos miembros de la sociedad más inteligentes, capaces y activos.[19]

Pero ello no significa que, al actuar de esta manera, la Iglesia, "sacrifique la ciencia y, bajo guisa de cumplir los deberes de su misión, desvíe a una universidad hacia fines que no le pertenecen".[20]

La integridad y bienestar de una universidad

En este punto, conviene explicar el trasfondo de los discursos. En 1845, el gobierno británico instituyó tres Queen's Colleges en Irlanda, en Belfast, Cork y Galway, para proporcionar a los católicos acceso a la educación superior, excluyendo la enseñanza de la teología, pues el fin era crear establecimientos "mixtos", esto es, de católicos y protestantes. Roma firmemente buscó desalentar la participación de los católicos, a la vez que urgió a los católicos irlandeses a establecer una universidad propia. Al decidirse por esta vía, en 1851 Newman fue invitado a ser el rector fundador. Para preparar el camino a la universidad, Newman escribió diez discursos, publicados en 1851 con el título *Discourses on the Scope and Nature of University Education;*[21] más tarde, en 1859, una serie de artículos de ocasión escritos entre 1854 y 1858 fueron publicados como *Lectures and Essays on University Subjects*. Fue hasta 1873 que *Discourses* y *Lectures* se fundieron para conformar juntos la *Idea*. Está claro que Newman no escribió la *Idea* como un

---

[19] *Idea*, XII.

[20] *Ibid.*, p. XII. Por lo general, Newman utiliza la palabra "ciencia" para designar un cuerpo de conocimiento sistemáticamente organizado, en vez de su restringido sentido moderno.

[21] El quinto discurso no apareció en la edición abreviada de 1859, que incorpora más de 800 cambios a los textos; tampoco aparece en *Idea of a University*, que conservó la mayor parte de dichos cambios. Hubo ediciones posteriores de *Idea*, la última apareció en 1889, un año antes de la muerte de Newman. La edición crítica de Ian Ker (1976) contiene autorizados comentarios de introducción a *Idea*.

tratado sistemático sobre la naturaleza y propósito de la educación universitaria, si bien ese es el tratamiento que se le ha dado.

En sí mismos, los discursos no representan una exposición exhaustiva del tema, sino una exploración de un tema; además fueron escritos para abordar problemas particulares que Newman debía enfrentar en los años de 1850, en su intento por ganarse a las diferentes facciones de la sociedad irlandesa. En tanto los discursos de Dublín tratan sobre *la esencia* de la universidad, y no sobre su existencia en pleno funcionamiento, exponen mucho sobre la formación intelectual del alumno, pero relativamente poco sobre aquellos aspectos que también eran importantes para Newman, como la formación del carácter y la vida de estudiantes en residencia. Una de las pocas excepciones aparece cuando Newman ensalza las ventajas de las residencias universitarias, exponiendo las ventajas de la educación recíproca que ahí tiene lugar:

> Cuando una multitud de jóvenes entusiastas, de corazón abierto, simpáticos y observadores, como son los jóvenes, se juntan y conviven unos con otros, es seguro que aprenderán unos de otros, incluso si no hay nadie para enseñarles; la conversación común es una serie de conferencias que se imparten entre sí y así aprenden nuevas ideas y opiniones, su entendimiento recibe materia fresca, así como principios claros para juzgar y actuar en el día a día.[22]

Parte de esta experiencia educativa extraoficial surge de la convivencia de los estudiantes, pues la vida en la universidad consiste "en ver el mundo sobre una pequeña parcela con poca dificultad; pues los alumnos y estudiantes provienen de muchos lugares y tienen ideas muy diferentes, y así hay mucho que generalizar, mucho que ajustar, mucho que eliminar".[23]

Puesto que la *Idea* trata sobre la esencia de la universidad, y no sobre su plenitud y bienestar, para discernir lo que Newman quería decir por *integridad* es necesario revisar la idea de la universidad ilus-

---

[22] *Idea*, 146.
[23] *Ibid.*, p. 147.

trada en la historia, algo que Newman hizo al escribir los 20 "esbozos universitarios" que publicó en la *Catholic University Gazette* en 1854,[24] los cuales puso en práctica cuando la Universidad Católica de Dublín abrió sus puertas en noviembre de 1854. A partir de la correspondencia y documentos universitarios de Newman surge una imagen más nítida de la persona plenamente educada, cultivada en su dimensión social, y cómo es que esto se puede lograr. Aunque difícilmente podría parecer que el fracaso relativo de la Universidad Católica[25] ofrezca incentivos para la imitación, sin el ejemplo de la institución que Newman creó, la visión que describe en la *Idea* queda incompleta.

En un memorándum redactado para los obispos de Irlanda, Newman escribió que el objeto de "establecer una universidad propia consiste en brindar educación católica (en el amplio sentido de la palabra 'educación')".[26] La frase "en el amplio sentido de la palabra 'educación'" refleja el hecho de que Newman tenía un concepto muy vasto de lo que entendía por "educación" y que se resistía a la tendencia de estrechar su significado y reducir sus alcances. Enfatiza que Newman estaba interesado en ofrecer al mismo tiempo una formación tan profundamente humana como cristiana.

---

[24] Los esbozos son como instantáneas históricas del crecimiento y desarrollo orgánico de la universidad. Se reunieron en J. H. Newman, *Office and Work of Universities*, 1856; y más tarde en J. H. Newman, *Rise and Progress of Universities*, 1872; por último, se incluyeron para formar la primera y más importante parte de *Historical Sketches*, III [1872], Londres, Longmans, Green & Co., 1909, pp. 1-251. Si bien los "esbozos universitarios" son mucho menos conocidos que las conferencias de Dublín, los estudiosos de Newman afirman que son vitales para una completa comprensión de los puntos de vista de Newman en materia de educación. Hay un análisis de los esbozos en el prefacio a J. H. Newman, *The Rise and Progress of the Universities and Benedictine Essays*, M. K. Tillman (ed.), Leominster, Gracewing, 2001.

[25] University College Dublin, actualmente la mayor universidad de Irlanda, tiene su origen en la Universidad Católica fundada por Newman.

[26] Memorándum, 29 de abril de 1854, J. H. Newman, *My Campaign*, p. 93. Newman utiliza esta expresión y otras similares en otras ocasiones, por ejemplo, "de principio a fin, en el amplio sentido de la palabra, lo mío ha sido la educación (Diario, 21 de enero de 1863, J. H. Newman, *John Henry Newman: Autobiographical Writings*, H. Tristram, (ed.), Londres, Sheed & Ward, 1956, p. 259). Véase también J. H. Newman, Historical Sketches, III, p. 6, así como Idea, 170.

Entonces como ahora, era un error común el ver la educación como la impartición de conocimientos, más que como la formación de la mente, la adquisición de ciertos hábitos y la formación del carácter. Sin embargo, Newman no consideraba que la educación se limitara a momentos formales o ambientes institucionales pues, para él, la educación tiene lugar, no solamente en la circunstancia formal de salones de clase, laboratorios y bibliotecas, sino en aquellas actividades estudiantiles semiformales, los deportes, los coros y orquestas, el periodismo, los grupos de teatro y de oratoria, e incluso en los momentos informales de relajación y entretenimiento, como cenas y fiestas.

Para Newman, los aspectos informales de la educación universitaria no eran un extra, sino una parte esencial de esa institución educativa por excelencia, la universidad residencial. Newman lo expuso de forma sorprendente cuando declaró: "si tuviera que elegir entre una supuesta universidad que prescindiera de la vida residencial y del tutor supervisor, y que otorgara sus títulos a cualquier persona que aprobara un examen en una amplia variedad de materias, y una universidad que careciera de profesores y exámenes en absoluto, sino que se limitara a reunir a un cierto número de jóvenes durante tres o cuatro años", como solía hacer Oxford a finales del siglo XVIII, entonces no dudaría un instante en optar por "aquella universidad que no hiciera nada, frente a la que exigiera a sus miembros un conocimiento de todas las ciencias bajo el sol". Explicó también que no pretendía decir que fuera *moralmente* mejor, pues era evidente que "el estudio obligatorio debe ser un bien, mientras que la ociosidad es un mal intolerable", sino que resultaba "un mejor ejercicio para el intelecto", es decir, es "más fructífero al formar, modelar y ampliar el entendimiento, con lo cual se consigue hombres mejor preparados para sus tareas seculares y produce mejores hombres públicos, hombres de mundo cuyo nombre perdurará para la posteridad".[27] Esta opinión tan desafiante y provocativa, más aún dada la fama que Newman tenía de alta

---

[27] *Idea*, 145.

jerarquía intelectual, es una de las pocas ocasiones en que Newman se desvía de su propósito principal para aludir a lo que *no* desarrolló en la *Idea*, la dimensión pastoral de la educación universitaria. Cuán importante ésta era para él queda claro al examinar lo que Newman realmente *hizo* en Dublín.

Los profesores y conferencistas de la Universidad Católica fueron testigos de lo que Newman pretendió lograr. Estaban conscientes de la pesada tarea que emprendió, pues sabían por experiencia personal que prácticamente todos los aspectos de la vida de la universidad pasaban por sus manos. Además de supervisar los asuntos académicos, los nombramientos de personal, la administración de las finanzas, la organización de nuevas escuelas y facultades, de preparar estatutos y escribir reglas y normas, de editar la *Catholic University Gazette*, de pronunciar conferencias en cada periodo escolar y predicar sus sermones, Newman también actuaba como la conciencia académica y moral de la universidad; a pesar de toda la presión administrativa que debía de soportar, siguió dando prioridad a las necesidades pastorales de los alumnos y al trato con el personal académico.

No fue una tarea sencilla para Newman traducir su visión en una institución viva, pues se le oponía una serie de dificultades casi insuperables: la falta de una tradición universitaria entre los católicos irlandeses y lo poco que se apreciaba el propósito de una educación liberal; la total falta de experiencia en el trato con estudiantes; las severas restricciones financieras en los años posteriores a la "gran hambruna" (1845-1849); una población desanimada con poca confianza en nuevas empresas; las profundas divisiones entre el clero y el laicado culto, que se manifestaban en el autoritarismo clerical y el anticlericalismo laico; un gobierno británico que se negaba a reconocer a la nueva institución, y mucho menos a proporcionarle ayuda financiera o una licencia, y una generosa dosis de sentimiento antinglés dentro de Irlanda. Aunque estas dificultades menoscabaron los planes de Newman, con lo cual concretar el ideal de la universidad de Newman era muy limitado, los hechos y planes del cardenal son instructivos, pues presentan una clara imagen de cómo este pensador original y humanista cristiano adaptó sus principios a la situación en Irlanda a mediados de la década de los cincuenta del siglo XIX.

Vida residencial en la universidad

Uno de los principios clave incluido en todos los escritos universitarios de Newman es su interés por que los jóvenes estudiantes que no viven en sus casas encuentren "un hogar fuera del hogar" en el trance fundamental entre la niñez y la edad adulta. Con este fin estableció una serie de residencias colegiadas, cada una de las cuales contaba con un decano responsable "del progreso moral e intelectual" de sus alumnos, a quien asistía un capellán y uno o más tutores. Basándose en su experiencia en el Oriel College de Oxford, donde había sido *fellow* (1822-1845) y tutor (1826-1831), Newman escribió extensamente sobre la "difícil y delicada tarea" de manejar jóvenes laicos "cuando ya no son muchachos, pero todavía no son hombres, y pretenden que se les confíe la libertad que es derecho del hombre, pero se les castiga con la indulgencia, que es el privilegio de los muchachos". Estableció como principio rector "que los jóvenes, en su mayor parte, no pueden ser obligados, sino que, por el contrario, están abiertos a la persuasión y a la influencia de la amabilidad y los afectos personales; y que, por ello, lo mejor es llevarlos por el buen camino por medios indirectos, más que por medidas autoritarias o simples prohibiciones".[28]

Newman afirma que "la residencia universitaria es un tiempo de formación entre la niñez y la edad adulta y una de sus funciones especiales es introducir y lanzar al mundo a un joven que antes estaba confinado en la escuela y el patio de recreo". Este oficio especial de educar en la libertad representa una tarea formidable, "pues nada es más peligroso para el alma que la súbita transición de la restricción a la libertad". No preparar a los estudiantes para "el gran mundo" que

---

[28] "Scheme of Rules and Regulations", J. H. Newman, *My Campaign*, pp. 114-115.

los espera, equivaldría a "abdicar de una función y dejar pasar las oportunidades de nuestra función peculiar".[29] Al reflexionar sobre su propia vida, Newman se refirió a sus días de estudiante como "aquella temporada peligrosa en que viví como estudiante en la universidad".[30] Como *fellow* y tutor en Oxford había sido testigo de la mezcla embriagante de libertad sin prácticamente ninguna responsabilidad, y se dio cuenta de que la educación en la libertad, para ser eficaz, dependía de la previa adquisición de buenos hábitos y de una sabia supervisión por parte de las autoridades. A lo largo de su vida, Newman se ocupó del "problema" de la libertad humana y, en particular, de la forma en que se desarrolla en los años de formación de una persona. En todas sus empresas educativas lidió con la mejor manera para negociar ese proceso delicado y gradual de lanzar al mundo a los jóvenes, modulando exigencias y expectativas con la justa medida de libertad y restricción.

En un pasaje que más tarde se incorporó a los estatutos de la Universidad Católica de Irlanda (1869), Newman escribe con elocuencia sobre la disciplina universitaria:

Es nuestro deber y privilegio el demorar por una temporada la prueba inevitable para todos los débiles e ignorantes; hemos de conducirlos a los brazos de una madre amorosa, un *alma mater*, que inspire afecto a la vez que musita verdades; que, al lado del deber, alista la imaginación, el buen gusto y la ambición; que busca impresionar los corazones con máximas nobles y celestiales en la edad en que son más susceptibles, tratando de conquistarlos y dominarlos cuando son más obstinados e impetuosos; que los amonesta mientras los consiente, y que simpatiza con ellos mientras los reprende; que supervisa el uso de la libertad que les da y les enseña a rendir cuentas de aquellos fracasos que no pudo prevenir a pesar de su mejor esfuerzo, y que, en una palabra, dejaría de ser una madre si su mirada fuera severa y su voz perentoria. Si todo esto es así, queda claro que una cierta ternura, e incluso una cierta indulgencia, por un lado, junto con una atención vigilante, ansiosa e inoportuna por el otro, son las características de la disciplina peculiar

---

29   *Ibid.*, p. 115.
30   Newman a Greaves, 27 de febrero de 1828, *Letters and Diaries*, II, p. 58.

a una universidad. Y es la necesidad del ejercicio de esta regla elástica, como se le puede llamar en el buen sentido de la palabra, la gran dificultad para quienes la gobiernan. Es muy fácil promulgar la ley y justificarla, hacer tu regla y observarla, pero es toda una ciencia, puedo decir, mantener una vigilancia tan perseverante como dulce, usar una discreción minuciosa, adaptar su tratamiento al caso particular, ir tan lejos como puede con seguridad con cada mente, y no más allá, y hacer todo ello sin fines egoístas, sin sacrificar la sinceridad y la franqueza, y sin sospechar de parcialidad.[31]

Se debe recordar que cuando Newman escribió lo anterior, la mayoría de edad se alcanzaba a los 21 años, por lo cual la universidad actuaba *in loco parentis* para la mayor parte de sus alumnos, por lo cual existía el deber de cuidar de ellos, si bien en numerosas ocasiones se le descuidaba. Newman sostuvo con firmeza que la Universidad Católica asumía la grave responsabilidad de supervisar a quienes cruzaban sus puertas, pues actuaba en lugar de los padres, en cuidar que progresaran hacia la virtud; era un *"alma mater* que conocía a cada uno de sus hijos, no una fundición ni una casa de moneda, ni una fábrica".[32] Idea tan elevada del papel pastoral de la universidad explica por qué Newman esperaba que la iglesia de la universidad y las casas colegiadas pudieran funcionar como una diócesis personal, bien el rector como su obispo, bien con el arzobispo de Dublín como su obispo y el rector como su vicario apostólico.[33] Aunque no dejó de ser una idea en papel, el ambicioso pensamiento de Newman transmite el concepto que tenía de su nueva responsabilidad pastoral.

---

[31] "Scheme of Rules and Regulations", J. H. Newman, *My Campaign*, pp. 116-117.

[32] *Idea*, 144-145.

[33] Newman a Stanton, 12 de marzo 1854, J. H. Newman, *Letters and diaries*, XXXII, p. 84. Aunque no queda claro cómo dicha estructura pudiera haber cabido en el derecho canónico entonces vigente, el canon 372 del Código de 1983 prevé precisamente la "diócesis personal", retomando una idea del decreto del Concilio Vaticano II sobre el ministerio y la vida de los sacerdotes (*Presbyterorum ordinis*, 10b); la idea de una "parroquia personal" dedicada al cuidado pastoral en las universidades se menciona en los cánones 518 y 813.

Poeta y policía: influencia y disciplina en la universidad

Para comprender qué es lo que Newman entendía por "residencias colegiadas" es necesario revisitar los mediados del siglo XIX: Newman observó que la mayoría de las universidades seguían el "sistema profesoral": la enseñanza tenía lugar principalmente a través de clases de una hora, sin que hubiera instrucción tutorial y descuidando por lo general los arreglos residenciales. En Oxford y en Cambridge, en cambio, la universidad prácticamente no existía, y en vez del sistema profesoral se practicaba el "sistema tutorial" de instrucción de pequeños grupos dentro de colegios individuales, acompañada de lecturas guiadas. Al observar el contraste entre estos dos sistemas, Newman apuntó que lo que podía ver eran "universidades a secas y colegios a secas".[34] Lo que esperaba ver era que tanto universidades como colegios operaran en armonía. Lo que llama el principio colegio-universidad necesita mayor explicación, pues Newman consideraba que respondía a una necesidad tan apremiante como definida.

Al narrar el desarrollo histórico de la universidad en sus "esbozos universitarios", Newman se vale del recurso de atribuir los cambios a la suerte cambiante de dos potencias rivales, lo que llama "influencia" y "disciplina" (o "sistema").[35] Esta tensión, que aparece como el *leitmotiv* de los esbozos universitarios, es una idea clave del pensamiento de Newman en cuestiones de educación, que lo fue guiando en la creación de la Universidad Católica. Comenzando por Atenas, Newman examina las fuerzas que están detrás de las instituciones académicas, para así discernir lo que dio lugar a sus periodos de crecimiento, decadencia y reforma. Valiéndose de la "influencia" y el "sistema" como los dos grandes principios que gobiernan la conducta de los humanos, observa que, en orden cronológico, la influencia es anterior al siste-

---

[34] J. H. Newman, *Historical Sketches*, III, p. 229.
[35] Newman tomó la idea de Samuel Taylor Coleridge, quien en *On the Constitution of the Church and State*, 1830, pp. 18-28, afirma que las instituciones sanas deben incorporar tanto el principio de progreso como el principio de permanencia.

ma. Este es el curso de la historia: "Comienza con el poeta y acaba en el policía". Esto también es cierto para la historia de las universidades: "Comienzan en la influencia y acaban en el sistema". Los primeros maestros eran como los predicadores, que atraían discípulos por medio de su influencia personal, que Newman describe como la ausencia de regla, "la acción de la personalidad, la relación de alma con alma, el recíproco influjo de las mentes". No obstante, la acción individual es inconstante y poco fiable, por lo que necesita de la mano firme de un sistema para preservar las ganancias logradas. Así, "una universidad se ha encarnado en unos estatutos, ha ejercido la autoridad, se ha protegido con derechos y privilegios y ha impuesto la disciplina".[36]

Newman argumenta que la esfera de acción propia de la "influencia" es la universidad considerada como un todo, y que ésta se ejerce principalmente a través del sistema profesoral; la "disciplina", en cambio, opera a través del sistema colegiado. Si bien por naturaleza son rivales bien dispuestos a usurparse mutuamente sus derechos, las fuerzas de la influencia y la disciplina pueden actuar en armonía, pues en realidad cada una necesita de la otra y la complementa. Por tanto, para Newman "parecería que la institución perfecta sería una universidad asentada y viviendo en colegios, ya que poseería excelencias de clases opuestas".[37] Newman sabía que los comisionados reales

---

[36] J. H. Newman, *Historical Sketches*, III, pp. 77-78, 88. Newman consideraba que si había alguna institución en la Iglesia que se extendía más por medio de la influencia que por la disciplina, se trataba del Oratorio de San Felipe Neri (al que Newman perteneció y el cual introdujo en Inglaterra). Consideraba que la Providencia entró en juego cuando se le encargó preparar los fundamentos de una gran universidad. Si bien la tarea de diseñar, organizar y consolidar era el don de un santo Domingo o un san Ignacio, "un hijo de san Felipe Neri bien puede aspirar sin presunción a la tarea preliminar de preparar el terreno [...] para introducir la gran idea en la mente de los hombres y hacer que la comprendan [...], y muestren en ella todo su celo; de conjuntar múltiples inteligencias en esa tarea y enseñarles a comprenderse y aceptarse una a la otra y a estar juntas, no tanto gracias a las reglas, sino a los afectos recíprocos y la devoción común" (*Ibid*, p. 89).

[37] J. H. Newman, *Historical Sketches*, III, p. 229. Newman no fue el primero en hacer semejante afirmación. El filósofo escocés sir William Hamilton había argumentado que "la combinación estatutaria de los sistemas profesoral y tutorial [...] está

que investigaban Oxford entre 1850-1852, esperaban combinar los dos sistemas de enseñanza, de manera que el sistema profesoral pudiera convertirse "en la cumbre y la corona de las tutorías". A diferencia de las universidades de otros países, donde el sistema profesoral se había adoptado no por fuerza sino por necesidad, la riqueza de Oxford le ofrecía "los medios para combinar ambos sistemas y así cumplir con mayor perfección el espíritu de cada uno de ellos".[38]

Para volver a la distinción entre esencia e integridad antes mencionada, Newman afirmaba que la *esencia* de una universidad consistía en comunicar el conocimiento a los alumnos conforme un sistema profesoral; no obstante, también consideraba que la influencia de los profesores por sí sola no bastaba para su bienestar, para una vida rica y plena, y todo lo que el término *eudaimonia* connota. "Para que su existencia sea cómoda y esté asegurada, debemos poner la vista en la ley, las reglas y el orden; en la religión, de donde procede la ley; en el sistema colegiado, donde ésta se encarna".[39] En un esbozo intitulado "Professorial and Tutorial Systems", Newman argumenta que "los colegios son responsables de mantener el orden, mientras que las universidades son centros de movimiento"; e insiste sobre este principio a pesar de los numerosos ejemplos que la historia brinda sobre profesores carentes de personalidad y poder de persuasión, así como de colegios que descuidan la disciplina moral y religiosa. Más aún, "los colegios son instrumentos directos y especiales de los que la Iglesia se sirve en una universidad, para lograr así sus sagrados fines". Al combi-

---

implícita en la constitución de una universidad perfecta". Sin embargo, esta afirmación fue matizada cuando aseveró que "un sistema tutorial subordinado a un sistema profesoral brinda l*as condiciones para una universidad absolutamente perfecta"*, W. Hamilton, "On the State of the English Universities, with more Especial Reference to Oxford", 1831, *Discussions on Philosophy and Literature, Education and University Reform*, Londres, Longmans, 1853, pp. 417, 448.

[38] *Report of Her Majesty's Commissioners Appointed to Inquire into the State, Discipline, Studies and Revenues of the University and Colleges of Oxford: Together with the Evidence, and an Appendix*, British Parliamentary Papers, 1852, XXII, pp. 95-96, 99-100.

[39] J. H. Newman, *Historical Sketches*, III, p. 74.

nar estas dos antítesis, universidad-colegio y profesor-tutor, Newman llega a la siguiente conclusión: "El sistema profesoral cumple con la idea estricta de una universidad, y es suficiente para su ser, pero no es suficiente para su bienestar. Los colegios constituyen la integridad de una universidad".[40]

Pero, ¿a qué se refiere Newman con "colegio"? Lo define como un grupo de hombres que no solamente residen en el mismo edificio, sino que pertenecen a la misma institución; sugiere una fundación investida de autoridad, prestigio público y dotes propias. Es un hogar donde hay "la misma virtuosa disciplina paternal que es propia de la familia y el hogar". Al ser un establecimiento doméstico donde profesores y alumnos viven como en una familia, el colegio "es y hace todo aquello que está implícito en el nombre de hogar". Los jóvenes que dejan su hogar necesitan encontrar otro, puesto que todavía no conocen el mundo y, por tanto, se desaniman con facilidad ante las dificultades de la vida, porque todavía tienen que aprender a enfrentarse a las tentaciones del mundo; porque todavía no han aprendido a aprender. Idealmente, el "hogar colegiado" toma las características del hogar familiar, convirtiéndose así en "el santuario de nuestros mejores afectos, el seno de nuestros más entrañables recuerdos, un encanto para nuestra vida posterior, un descanso para la mente y el alma fatigados por el mundo".[41]

No hay contradicción alguna entre estas imágenes caseras y el papel disciplinario que Newman asigna a los colegios, puesto que por "disciplina" no entiende un código de conducta impuesto desde afuera, sino la disciplina de una vida social y personal regular y ordenada, una autodisciplina intelectual, moral y religiosa. De esta manera, el colegio toma el relevo de la familia, ofreciendo un lugar de refugio y compañía, y también para la oración y la instrucción.

---

[40] J. H. Newman, *op. cit.*, pp. 182-183.
[41] J. H. Newman, "Colleges the Corrective of Universities: Oxford", *Historical Sketches*, III, pp. 213-215.

La división del trabajo entre la universidad y el colegio implica que "el oficio de una universidad católica es enseñar la fe, mientras que el de los colegios es proteger la moral".[42] Newman insistía sobre este punto. La historia de las universidades muestra que la sed de conocimiento y la oportunidad de saciarla, si bien constituyen la verdadera vida de la universidad, no son suficientes para que logre su fin, a menos de que "estén resguardadas por influencias de una especie diferente que, sin pretender ser la esencia de la universidad, sirven para conservar dicha esencia". Para dichas influencias, Newman mira hacia la Iglesia. Propone que la verdadera sabiduría es, como lo dice el apóstol Santiago (Santiago 3, 17), la que viene de arriba, cuyas principales marcas son la pureza y la paz. "Los tres principios vitales de un estudiante cristiano son fe, castidad y amor; porque sus opuestos, es decir, la incredulidad o herejía, la impureza y la enemistad, son precisamente los tres grandes pecados contra Dios, contra nosotros mismos y contra el prójimo, por lo cual acarrean la muerte del alma". Newman explica que estos son los principales peligros del sistema profesoral; no obstante, así como sus deficiencias son evidentes, también lo son sus remedios (en la medida en que la naturaleza humana los admite):

> Cuando un muchacho deja su hogar [...], su fe y su moral corren grave peligro, tanto porque está en el mundo, como porque está entre extraños. Así pues, el remedio para los peligros que la universidad representa para el estudiante es crear dentro de ella hogares, "altera Trojae Pergama", iguales o mejores que los que ha dejado atrás. Es preciso establecer dentro de sus recintos pequeñas comunidades, donde sus mejores pensamientos encuentren albergue y sus buenas resoluciones encuentren apoyo; donde se frenará su rebeldía, se advertirá su negligencia y se anticiparán sus posibles desviaciones.[43]

---

[42] Segundo borrador de la introducción al Discurso VI enviado a J. B. Dalgairns el 23 de julio de 1852, J. H. Newman, *Letters and Diaries of John Henry Newman*, XV, p. 134.

[43] J. H. Newman, *Historical Sketches*, III, pp. 189-190. La frase *altera Trojæ Pergama*, alusión clásica acuñada en la *Eneida* de Virgilio (libro 3, versos 86-87), quiere decir "ora Troya" o un "hogar fuera del hogar".

Newman señala que la sabiduría heredada de legisladores y fundadores ha sido durante mucho tiempo la de "encontrar una salida segura para los impulsos y sentimientos naturales, que seguramente se encuentran en sus súbditos, y que solamente son dañinos por exceso; así como dirigir, moderar e influir de manera diversa, sobre lo que no se puede extinguir". Tradicionalmente, esto se lograba al dividir al conjunto de los estudiantes para hacerlo más manejable, a la vez que se brindaba un canal seguro para los sentimientos nacionales, provinciales o políticos y se permitía una sana rivalidad. Tales sociedades de alumnos tendían a promover una "emulación honorable" y estimulaban el esfuerzo académico, a la vez que transformaban un sentimiento egoísta de orgullo en el interés por la reputación de toda esa sociedad.[44]

El *genius loci*

Al fundar la Universidad Católica, Newman se percató de que era importante crear una atmósfera intelectual saludable que pudiera ser continuada por la tradición. Afirmó: "Apenas sobra decir que la mitad de la educación que reciben los jóvenes proviene de la tradición del lugar en donde se educa", a lo que llama el *genius loci* (o "espíritu del lugar"). Aunque las autoridades por sí mismas no podían crear el *genius loci*, estaban en condiciones de fomentarlo e influir sobre él.

Uno de los medios para lograrlo era ofrecer becas generosas. Newman sostenía (acaso de manera optimista) que a menudo

> los jóvenes más estudiosos son los más responsables y religiosos; por lo menos ya cuentan con cierto dominio de sí, con sentido común y buenas maneras; y si se les alienta de la manera en que propongo, el respeto que suscita el talento sobresaliente viene en auxilio del orden y de la virtud, con lo cual se convierten en centros de influencia que probablemente influyan para el bien.

---

[44] J. H. Newman, *Historical Sketches*, III, p. 190.

Newman estipuló que los becarios habrían de vivir en residencias colegiadas y ejercer ciertas funciones dentro de los colegios, contando también con ciertos privilegios, como el acceso especial al decano y el tutor,

> de esta manera, sin tener la mínima jurisdicción sobre los demás, constituirían una clase intermedia entre los superiores y los estudiantes, suavizando la fuerza de sus colisiones y actuando como canal indirecto y espontáneo para comunicar a los estudiantes importantes lecciones y verdades, que no recibirían si les fueran administradas por boca de un superior.[45]

Newman estaba convencido de la importancia del *genius loci*, pues sentía que, dentro de una institución desde hace tiempo establecida, todo estaba bajo la influencia de este poder intangible, pero omnipresente, que combinaba "en sí mismo el poder de la influencia y el poder de la disciplina, ya que, aunque sus formas eran secretas, indirectas y personales, tenía toda la autoridad de la ley y toda la consistencia de una idea viva".[46]

En una comunidad joven nace naturalmente una enseñanza viva, que con el tiempo adquiere la forma de una tradición que se perpetúa a sí misma, "que flota en el hogar donde nació y que más o menos impregna y modela, uno por uno, a todos los individuos que sucesivamente entran bajo su sombra". Constituye una "suerte de au-

---

[45] Report for the Year 1854-1855, J. H. Newman, *My Campaign*, pp. 39-40. Aquí hay más que un eco del sistema de prefectos que Thomas Arnold aplicó en Rugby y que desempeñó una función clave en la reforma del sistema educativo de Inglaterra. A mediados del siglo XIX, gradualmente se fue aceptando que la formación del carácter se fortalecía cuando la autoridad se delegaba sobre los alumnos mismos y que, además de inculcar virtudes, el autogobierno tenía dos virtudes prácticas: facilitaba el trabajo del director y evitaba las rebeliones, al unir a los alumnos más influyentes con sus maestros. Si bien no concordaba con el liberalismo de Arnold, Newman claramente valoraba el uso que hacía de la autoridad delegada y él mismo la aplicaba.

[46] A. D. Culler, *The Imperial Intellect: A Study of Newman's Educational Ideal*, New Haven, Yale University Press, 1955, p. 166.

toeducación", claramente visible en las instituciones académicas de la Inglaterra protestante:

> Un característico tono de pensamiento, una norma de juicio claramente reconocible se encuentra en ellas, y al desarrollarse en el individuo que se somete a ellas, se convierte en una doble fuente de fuerza para él, tanto por el sello distintivo que imprime en su mente, como por los lazos de unión que crea entre él y los demás.[47]

Dejando a un lado la cuestión sobre si las normas y principios de una atmósfera ética en particular son verdaderos o falsos, no cabe duda de que ahí tiene lugar una verdadera enseñanza. Newman sabía que, a fin de cuentas, el *genius loci* dependía en última instancia "principalmente de las interacciones recíprocas de los alumnos".[48]

El papel del tutor

En el esquema de Newman para las residencias colegiadas era esencial que cada una tuviera un tutor propio. Idealmente, los tutores habrían de ser jóvenes, no más de dos o tres años mayores que sus pupilos, que recientemente hubieran terminado sus cursos y estudios en la universidad y aprobado los exámenes, o bien, que fuesen o hubieran sido becarios. Ellos serían

> parte compañeros y parte consejeros de sus pupilos, es decir, de los estudiantes; y si bien su función formal sería ayudarlos a preparar las

---

[47] *Idea*, 147.
[48] Tomado del "Memorandum Relating to the Catholic University", texto de Newman del 19 de febrero 1853 citado en P. Shrimpton, *Making of men*, 89. Entre otras cosas, el memorándum se ocupa de los arreglos para los comedores de la Universidad Católica. Newman pensaba en tener mesas separadas, como en un restaurante, en lugar de en una sola mesa larga, como en el refectorio de Oxford, para que así los alumnos pudieran invitar a sus amigos a desayunar o cenar.

clases de los profesores y los exámenes, "también se entremezclarían con ellos en sus diversiones y recreaciones; y, al ganarse su confianza por la semejanza de las edades, y por haber sido tan recientemente lo que ahora son sus pupilos, se puede esperar que ejerzan una influencia saludable sobre ellos, y a menudo sabrán más sobre ellos que cualquier otra persona".[49]

Al anunciar sus intenciones de combinar el sistema profesoral con el tutorial, Newman comentó que "la principal forma de hacer hombres debe ser el sistema tutorial".[50] Un año después explicó que esperaba imitar a Oxford, donde "los verdaderos trabajadores no eran los profesores, sino los tutores". Junto con los profesores, los tutores ayudarían al rector y formarían "la parte activa e influyente de la universidad", con lo cual serían "administradores prácticos del conjunto".[51]

"Professorial and Tutorial Systems" es un esbozo universitario en el que Newman hace notar que los alumnos se benefician mucho de que el colegio sea su segundo hogar, pero que más se benefician de la supervisión de los tutores, que complementa la educación que se imparte en las clases. Si bien el colegio era el ambiente indicado para la disciplina en general, en el sentido más extenso de "formación", la tutoría del colegio constituía el vehículo ideal para la disciplina *intelectual* del estudiante.

Ahí, se estimulará tenazmente su diligencia; se le mantendrá a la altura de su objetivo; se comprobará su progreso y se medirá su trabajo semanal, como si fuera un obrero. Para un joven no es fácil determinar por sí mismo si ya domina lo que se le ha enseñado; será necesaria una cuidadosa formación catequética junto con un celoso escrutinio de su capacidad para expresarse y de poner en práctica sus conocimientos,

---

[49] Report for the Year 1854-1855, J. H. Newman, *My Campaign*, pp. 41-42.
[50] "Report on the Organization of the Catholic University of Ireland", octubre de 1851, J. H. Newman, *My Campaign*, p. 85.
[51] Newman a Cullen, 14 de agosto 1852 (no enviado), J. H. Newman, *My Campaign*, pp. 276-277.

si de verdad quiere beneficiarse de los buenos profesores a quienes escucha, y todo esto lo obtendrá del Tutor del Colegio.[52]

Al bosquejar el papel del tutor, Newman aclara que su deber era "ciertamente el cuidado moral, aunque de forma más directa el cuidado intelectual de los pupilos, con lo cual alivia la carga del director [the Head]".[53] Su principal tarea era preparar a los alumnos para las clases y los exámenes. Se exige a los alumnos "que lean bien unos cuantos libros, en vez de leer muchos de forma imperfecta, para que así cultiven el buen gusto, la imaginación y el juicio, en lugar de leer una gran cantidad de autores".[54] Newman esperaba que el tutor se ajustara a las necesidades de cada alumno, sirviendo no solamente a aquellos que fueran capaces y estudiosos, sino también a quienes manifestaban poco amor por el aprendizaje o no habían cultivado hábitos de estudio o estaban atrasados; que seleccionara su curso de lectura y recomendara aquellas clases a las que debían asistir y los libros y temas sobre los que deberían presentar examen. El tutor supervisaría a los alumnos más prometedores, dándoles consejo y explicándoles los pasajes difíciles, probándolos de vez en cuando, llamando su atención sobre puntos que pudieran pasar por alto, ayudándoles a hacer sumarios y, en general, permaneciendo atento a ellos. Con los alumnos que se retrasaran era necesaria una táctica diferente, pues había que remediar sus limitaciones y tratar de aprovechar al máximo las clases; asimismo, se precisaba una táctica diferente con los ociosos, a quienes había que poner en marcha y ayudarles a superar su falta de diligencia al preparar exámenes. Todo esto requería del tutor "una solicitud sostenida y una mente entregada a su cargo".[55]

---

[52] J. H. Newman, *Historical Sketches*, III, p. 190.
[53] "Scheme of Rules and Regulations", 1856, J. H. Newman, *My Campaign*, p. 117.
[54] Newman a Paley, 20 de mayo de 1854, J. H. Newman, *Letters and Diaries*, XVI, p. 137.
[55] "Scheme of Rules and Regulations", J. H. Newman, *My Campaign*, p. 119.

Newman amplió el alcance de la función del tutor al sugerir que el camino al corazón de un joven, en especial en el caso de los más capaces, pasaba a través de los estudios. Al sentirse agradecido con la persona que se interesa en aquellas cosas que en ese momento están más cerca de su corazón, el estudiante se abriría al tutor, y a partir de los libros que tienen ante ellos, los dos

> se internan en la conversación, la especulación y la discusión: allí las mentes conviven y crece la intimidad y la sinceridad, que solamente surgen cuando nadie más está presente. Las oscuridades del pensamiento, las dificultades filosóficas y las perplejidades de la fe salen en confidencia, para discernirlas y resolverlas; y un poeta o teórico pagano puede ser así la ocasión de un avance cristiano.[56]

De esta manera, el tutor da forma a las opiniones del pupilo y se hace su amigo y, quizá, el guía de su vida después de la universidad. La elevada concepción que Newman tenía sobre la "grave importancia" y la "naturaleza realmente interesante" del cargo del tutor para el bienestar de la universidad queda plasmada en las siguientes palabras:

> En la idea del tutor de un colegio, encontramos la unión de la influencia intelectual y moral, cuya separación es un mal de nuestra época. Los hombres están acostumbrados a acudir a la Iglesia para la formación religiosa, pero van al mundo para cultivar tanto su razón dura como su susceptible imaginación. Una universidad católica no remedia este mal sino a medias si sólo persigue la educación profesoral, sin atender a la educación personal, particular y privada. Donde está esta educación, ahí estará la verdadera influencia.[57]

La idea de Newman sobre el papel del tutor tiene mucho que ver con lo que le hace especial como pensador sobre cuestiones educati-

---

[56] *Ibid.*

[57] "Scheme of Rules and Regulations", J. H. Newman, *My Campaign*, p. 120. Newman habló de esta enfermiza separación en la última parte del sermón "Intellect, the Instrument of Religious Training". J. H. Newman, *Sermons Preached on Various Occasions*, 1870, el primero de su predicación en la Universidad Católica de Dublín.

vas, así como a buena parte de aquello que le caracteriza como persona: su aprecio por el elemento personal en el proceso de comprender y abrazar el conocimiento y la fe; su paciencia con la debilidad humana en el proceso irregular de maduración, así como su insistencia sobre lo práctico. Sobre todo sostenía que las verdades religiosas y morales se comunican mejor por el poder de la influencia personal, y consideraba que las tutorías habían de conducirse sobre esta base. Estas opiniones no eran resultado de investigaciones o lecturas, sino más bien de muchos años en la educación, durante los cuales había tratado de vivir de acuerdo con sus altos ideales.

Adaptar la teoría a la práctica en Dublín

Cuando la Universidad Católica abrió sus puertas en noviembre de 1854 contaba con tres "casas colegiadas". En lugar de vivir aislado académica y administrativamente, Newman decidió convertir la casa del rector en una "casa colegiada", a la que dio el nombre de Santa María y en donde ejercía como decano a la vez que como tutor. Si bien esto le acarreó muchos problemas, como supervisar el servicio doméstico, dedicó mucho tiempo a la casa y a sus estudiantes. Cuando el arzobispo de Dublín preguntó desde Roma acerca de los progresos de la universidad, Newman no le respondió con detalles acerca de su forma de gobierno o el número de estudiantes, sino con un relato pastoral en Saint Mary's. Años más tarde, el conserje reflexionaba sobre los tiempos felices en Saint Mary's, a la que comparó con una colmena: "Poco sabe el mundo exterior de cuán bellamente se conducía nuestra familia. Aún puedo ver al padre [Newman] sentado en su pequeño estudio, recibiendo a uno y otro, dirigiendo, orientando, llamando a cada uno por su nombre, como lo hubiera hecho su propio padre".[58]

---

[58]   P. Shrimpton, *Making of men*, pp. 186-187.

Durante el tercer año académico, Newman se dio cuenta de que el sistema de residencias colegiadas no se estaba consolidando. El problema estaba en que, mientras Oxford era una universidad totalmente residencial, en Dublín la pauta la marcaba el Trinity College, la universidad protestante fundada en 1592 sobre un espléndido recinto ubicado en el corazón de la capital y cuyos estudiantes, en su mayoría, vivían en casa, con parientes o en casas de huéspedes. Ante una situación similar en la Universidad Católica, Newman dictaminó que todos los estudiantes debían estar adscritos a una residencia colegiada y colocarse bajo la jurisdicción del decano de la residencia; los que no vivían realmente en la casa eran designados como "alojados accidentalmente fuera" en alojamientos aprobados. En la práctica, esto no logró gran cosa; no obstante, en lugar de abandonar el sistema de residencias colegiadas, trató de adaptarlo a las necesidades locales.

En 1857, Newman introdujo dos medidas que buscaban extender "la idea de residencia". Una de ellas consistió en crear una forma de vida colegial más relajada, en especial para los estudiantes de más edad y los que preferían una forma de alojamiento menos reglamentada; se le llamó "residencias autorizadas" (*licensed halls*) y estarían dirigidas por profesores y catedráticos. La otra medida consistió en permitir que los externos o no residentes se convirtieran en "cuasi internos" (*quasi interns*) al adscribirse a una residencia colegiada durante "el horario laboral del día", es decir, entre la misa de 8 de la mañana y el fin de la tarde; en dicha residencia, los externos recibían tutorías. Quienes no vivían en residencias colegiadas o autorizadas y tampoco eran cuasi internos, eran considerados como no residentes. Para dar un incentivo por ser residente, y evitar que la administración de la universidad cayese en manos de aquellos que nunca habían vivido en su recinto y desconocían sus tradiciones, Newman propuso que los títulos obtenidos por los no residentes, aunque totalmente válidos para el mundo exterior, no facultaran a dicha persona a ocupar cargos dentro de la universidad, como sí lo podía hacer quien obtuviera su título siendo residente.

Además de las actividades estudiantiles organizadas en los colegios, como los equipos de cricket y remo, las clases de canto y de música instrumental y diversas actividades sociales, había una actividad organizada por la universidad: la Sociedad Histórica, Literaria y Estética, creada por Newman, si bien desde el principio fue dirigida por los estudiantes, funcionaba principalmente como una sociedad de debates, pero también daba lectura de las composiciones y difundía el periodismo estudiantil. Desarrolló su propio y elaborado código de normas (y multas), y evidentemente era la sociedad insignia de la universidad. No cabe duda de que Newman consideraba que esta sociedad era un estupendo instrumento para completar la educación que se impartía en la universidad y para preparar a los alumnos para el mundo laboral. La sociedad era el resultado práctico de una idea de los discursos de Dublín, en los que Newman había rebatido las pretensiones de los educadores utilitaristas de su época y había insistido sobre los beneficios prácticos de la educación liberal:

> El hombre que haya aprendido a pensar y a razonar, a comparar, discriminar y analizar, que haya refinado su gusto y formado sus juicios, que haya agudizado la visión de su mente, no será de inmediato un abogado, [...], un hombre de negocios, o un militar, o un ingeniero, sino que se situará en ese estado de intelecto en el que podrá emprender cualquiera de estas ciencias o vocaciones [...] con facilidad y gracia, con versatilidad y buen éxito, que estarán fuera del alcance de otros.[59]

---

[59] *Idea*, 165-166. La Sociedad Literaria e Histórica (como ahora se llama) aún subsiste y es una de las más prestigiosas sociedades estudiantiles de Irlanda. Un buen número de sus antiguos miembros ocupan puestos importantes en la vida pública, como Newman lo pretendía.

El legado de Newman: una visión más amplia de la educación

Al mirar hacia atrás desde el siglo XXI parece demasiado ambicioso haber pretendido introducir una versión modificada del sistema tutorial en la Irlanda de 1850. No obstante, Newman tenía buenas razones para su proyecto. Al ser testigo del comienzo de la búsqueda irrestricta de la formación profesional y del mero conocimiento técnico en la vida universitaria, veía que el antídoto contra este peligro estaba en una educación genuinamente liberal y colegiada; porque si una universidad descuida su dimensión residencial, está descuidando aquello que es más peligroso descuidar.

Newman heredó la idea de que el desarrollo moral de la totalidad de la persona es parte esencial de una educación liberal que, se supone, debe moldear y fraguar el carácter, inculcando el sentido de alta responsabilidad hacia la sociedad. Cuando no es sino un lugar de mera difusión de conocimientos, una universidad tendrá invariablemente efectos limitados sobre el estudiante, pero un colegio (o su equivalente), contando con la ayuda de la Iglesia, puede transformar a un individuo. Como lo afirmó Newman en los discursos de Dublín: "El mundo se contenta con acomodar la superficie de las cosas; la Iglesia busca regenerar lo más profundo del corazón".[60]

El sistema combinado universidad-colegio supuso una más clara división del trabajo. En este nuevo orden, la universidad representaba la transmisión del conocimiento y de las competencias intelectuales, alcanzadas por medio de cursos, trabajos de laboratorio y exámenes; los colegios, por su parte, representaban la idea superior de la unidad del conocimiento y la formación de personalidades plenas. Si bien hay muchas maneras de considerar las funciones complementarias de colegios y universidades (y las diversas formas que puede tomar cada una), no hay indicios de que Newman alguna vez tuviera razones

---

[60] *Idea*, 203.

para alterar su convicción de que "una universidad con sede y vida en los colegios sería una institución perfecta, por poseer excelencias de tipos opuestos".[61] Las consecuencias del actual descuido de la dimensión colegiada de la educación universitaria quedan patentes en sus efectos: el énfasis en la formación técnica y una instrucción estrecha, basada en las habilidades para satisfacer las necesidades del mercado laboral, a costa de esa formación más elevada, que abraza la plena medida de lo que constituye el ser humano.

[61] J. H. Newman, *Historical Sketches*, III, p. 229.

Referencias

ARNOLD, M., *Culture and Anarchy: An Essay in Political and Social Criticism*, Londres, Sam, Elder & Co., 1869.

CULLER, A. D., *The imperial intellect: A study of Newman's educational ideal*, New Haven, Yale University Press, 1955.

HAMILTON, W., "On the State of the English Universities, with more Especial Reference to Oxford" (1831), *Discussions on Philosophy and Literature, Education and University Reform*, Londres, Longmans, 1853.

MACINTYRE, A., "The Very Idea of a University: Aristotle, Newman and us", *British Journal of Educational Studies* 57 (2009): 347-362.

NEWMAN, J. H., *Historical Sketches*, III, Londres, Longmans, Green & Co. [1872], 1909.

———, *The Idea of a University: Defined and Illustrated*, Londres, Longmans, Green & Co. [1873], 1907.

———, *My Campaign in Ireland*, Part 1: Catholic University Reports and Other Papers, ed. W. Neville, Aberdeen, Irlanda, A. King & Co., 1896.

NEWMAN, J. H., *John Henry Newman: Autobiographical Writings*, ed. H. Tristram, Londres, Sheed & Ward, 1956.

———, *Letters and Diaries of John Henry Newman*, XV, Londres, T. Nelson, 1961-1972, Oxford, Clarendon Press, 1973-2008.

———, *The rise and Progress of the Universities and Benedictine Essays*, ed. M. K. Tillman, Leominster, Gracewing, 2001.

———, *Report of Her Majesty's Commissioners appointed to inquire into the state, discipline, studies and revenues of the University and colleges of Oxford: together with the evidence, and an appendix*, British Parliamentary Papers, 1852, XXII.

ROTHBLATT, S., "An Oxonian 'Idea' of a University: J. H. Newman and 'Wellbeing'", *The History of the University of Oxford*, VI, eds. M. G. Brock y M. C. Curthoys, Oxford, Oxford University Press, 1997.

SHRIMPTON, P., *The "making of men": The Idea and Reality of Newman's University in Oxford and Dublin*, Gracewing, Leominster, 2014.

VI
Notas sobre la formación de la conciencia en John Henry Newman

Miguel Rumayor

1. La actualidad de la formación de la conciencia en Newman

Desde hace tiempo hablar de la formación de la conciencia -tanto en el plano de la pastoral en la Iglesia como en el ámbito educativo en general- se ha convertido para algunos en un asunto polémico. Ya antes de la llegada de Newman, la libertad de conciencia era considerada por ciertos intelectuales como el derecho que tenía el individuo a pensar y creer como quisiera, sin importar regla alguna externa más allá de la que uno pudiera darse a sí mismo voluntariamente. La idea de la completa autonomía de la conciencia, el libre examen, por el cual la persona puede adquirir una completa certeza que le sirva para guiarse sin problemas en la vida, tiene su origen teológico en los planteamientos protestantes, se trasmite a la filosofía por Descartes. Se desarrolla vigorosamente en Kant y la Ilustración, y rechaza cualquier autoridad moral que pueda influir en sus movimientos.

El repudio a cualquier figura de autoridad, que también se re-flejó en una cierta interpretación de la filosofía de la educación libe-ral criticada[1] por Newman, se cumple especialmente en aquella que proviene de la Iglesia católica. De modo particular, allí la autoridad se aplica a través de la dirección espiritual o del sacramento de la con-fesión. La heteronomía moral, implícita en el consejo del confesor, se considera siempre negativa para el florecimiento y el logro de la plena autonomía de conciencia. Sin embargo, desde tal planteamiento todo lo que venga de dentro, con lo que este adverbio pueda significar –de-seos, sentimientos, gustos, expectativas, fantasías– servirá a la perso-na para desarrollarse.

Frente a tales perspectivas, emerge la figura del teólogo y san-to inglés, John Henry Newman (1801-1890), quien siempre "trató de llevar a cabo un trabajo afirmativo y no solamente de pura condena-ción de los errores modernos",[2] ofreciendo así ideas para arraigar la formación de la conciencia en una adecuada antropología cristiana. Además, al haberse adentrado en una profunda fenomenología sobre el tema, las reflexiones de Newman no sólo son de gran trascendencia para sacerdotes, directores espirituales o educadores cristianos, sino también para aquel hombre de cualquier religión, agnóstico o ateo, que sinceramente quiera ayudar a otro a crecer en un auténtico segui-miento personal del bien, de la verdad y la belleza, coordenadas que sitúan la formación de la conciencia en el teólogo británico.

Algunos intelectuales posmodernos se han empeñado incansa-blemente en fragmentar en pedazos el yo, raíz de la subjetividad perso-nal, y diluirlo hasta extremos que en otras épocas eran impensables. Esa actitud ha conseguido extraviar a muchos ciudadanos occidenta-les en el camino hacia un espacio de libertad interior personal. Como consecuencia de esto, no es que a veces algunos hombres se puedan

---

[1] Cfr. E. Sillem, *The Philosophical Book of John Henry Newman*, Lovaina, Nauwela-eters Publishing House, 1969, pp. 23-67.
[2] J. Morales, *Newman (1801-1890)*, Madrid, Rialp, 1990, p. 265.

sentir solos frente a las dificultades, los problemas y tristezas del mundo moderno, sino que internamente se sienten tan desorganizados que sólo el pensar en adentrarse en su propia intimidad les provoca una gran angustia. Ante eso, Newman coloca el centro del sujeto y su felicidad en la conciencia personal, en el corazón, el espacio más íntimo que posee el hombre: allí, donde verdaderamente puede encontrar a Dios.[3] Accede así a una determinada visión del bien que no es impuesta desde fuera ni tampoco es producto de la cultura o los convencionalismos sociales. En la conciencia se encuentra la divinidad y también se halla la persona en toda su verdad. Es por eso que las reflexiones de Newman son de enorme actualidad, ya que no confunde –como ocurre en la psicología y la pedagogía de nuestros días– la subjetividad con la vida de la conciencia. Para él la conciencia es mucho más profunda que la valoración psicológica que la persona hace de su propia interioridad. Gracias a tal distinción, para Newman la conciencia personal está también llamada ayudar, regular y ordenar la interioridad psicológica de la persona.

La vida de John Henry Newman transcurrió repleta de luchas y enormes sufrimientos, antes, durante y después de su conversión al catolicismo. Así queda lo manifiesta en el texto que dedica a su antiguo amigo John Keble cuando, utilizando un tú hipotético,[4] habla

---

[3] "Let us seek the grace of a cheerful heart, an even temper, sweetness, gentleness, and brightness of mind, as walking in His light, and by His grace." J. H. Newman, "Religious Joy", en *Parochial and Plain Sermons*, VIII, Londres, Longmans, Green, and Co., 1908, p. 255.

[4] "In the process of his conversion he has had to struggle with uncertainty of mind, with the duties of an actual position, with misgivings of its untenableness, with the perplexity of fulfilling many duties and of reconciling conflicting ones. He is not perfect; no one is perfect; not they who accuse him; he could retaliate upon them; he could gratuitously suggest reasons for their retaining their stations, as they can suggest reasons for his relinquishing his own; it is easy to impute motives; but it would be unworthy of him to do so. He leaves his critics to that Judgment to which he himself appeals. May they who have spoken or written harshly of recent converts to the Catholic Church, receive at the Great Day more lenient measure than they have in this case given!". J. H., Newman, "John Keble", en *Essays Critical and Historical*, II, Londres, Longmans, Green, and Co., 1907, p. 427.

de aquellos que pasaron como él ese proceso entonces en Inglaterra. Tales experiencias personales tendrán en Newman un reflejo teórico, que se podría resumir en la idea de que no se puede ser feliz más que siendo absolutamente fiel a la propia conciencia y a la voz de la verdad que resuena en cada uno. No avanzar o detenerse en la búsqueda de la verdad, o asumir ficticiamente un credo religioso o una ideología donde la conciencia ya ha percibido fisuras morales –como ocurrió en el caso del propio Newman con el anglicanismo– equivale no sólo a no mitigar el dolor, sino que supone multiplicarlo mucho más al perder la persona su sentido último.

Desde el punto de vista filosófico, Newman es contrario al utilitarismo y al racionalismo. Se opone al kantianismo, porque para él la conciencia no actúa como pura racionalidad. Tampoco ésta se dirige sólo a las cuestiones prácticas de la vida. Se trata así para Newman de la conciencia como una intuición acerca del bien moral, que no opera junto con la racionalidad lógica, sino más bien como lo que podría describirse como un instinto mental o, como él lo denomina, un "sentimiento de la mente".[5] No es la suya una visión de la conciencia cimentada teológicamente en el fideísmo protestante, sino enfocada hacia la consideración de la vida profunda del espíritu, en donde se aquilatan algunos de sus conocimientos más íntimos, los cuales no siempre son traducibles a palabras. En esto se basan, como se verá más adelante, algunas de sus nociones sobre la conciencia moral, la conciencia implícita y el sentido ilativo.

También fue Newman contrario al subjetivismo y a su correlato en una visión relativista de la realidad. En su pensamiento filosófico de metodología y fenomenología[6] –y en su famosa idea sobre la educación liberal que obtiene de éste– pretende desarrollar una actitud personal de apertura irrestricta y de búsqueda de la verdad en los primeros prin-

---

[5]   J. H. Newman, *Two Essays on Biblical and Ecclesiastical Miracles*, Londres, Longmans, Green, and Co., 1907, pp. 17-19.
[6]   Cfr. E. Sillem, *The Philosophical Book of John Henry Newman*, pp. 127-139.

cipios de la realidad, que combinará con una propuesta del recogimiento sobre uno mismo para alcanzar el conocimiento íntimo de las cosas.[7]

2. Los ámbitos de la formación de la conciencia: *moral sense* y *sense of duty*

Newman, siguiendo la teología paulina, entiende que la conciencia es la voz de Dios dentro de nosotros que habla directamente al corazón.[8] Además, para él, al igual que sucede con Xavier Zubiri,[9] la moralidad es parte constitutiva de la estructura de la persona. De tal suerte que esa voz no es extraña a la naturaleza humana, sino que en un sentido profundo remite a lo más genuino de ella. Podemos decir que apela a algo que va más allá de gustos, pasiones y condicionamientos sociales, remitiendo a su misma esencia. Para Newman el hecho moral no adviene nunca como algo externo al ser humano. De ahí también se puede concluir que la voz de la conciencia sea universal y tenga siempre que ver con la responsabilidad ante la propia felicidad personal, la cual es compatible con estar dispuesto a sufrir[10] persecución por seguir las propias convicciones. Por ello se puede afirmar que la primera y más importante acción de la conciencia, desde el punto vista per-

---

[7]   Cfr. P. Collins, "Newman, Foundationalism and Teaching Philosophy", *Metaphilosophy* 22, 12(1991): 152.

[8]   "Only follow your own sense of right, and you will gain from that very obedience to your Maker, which natural conscience enjoins, a conviction of the truth and power of that Redeemer whom a supernatural message has revealed; do but examine your thoughts and doings; do but attempt what you know to be God's will, and you will most assuredly be led on into all the truth". J. H. Newman, "Inward Witness to the Truth of the Gospel", *Parochial and Plain Sermons*, VIII, Londres, Longmans, Green, and Co., 1908, p. 120.

[9]   Cfr. M. Rumayor, *El yo en Xavier Zubiri*, Pamplona, Servicio de Publicaciones de la Universidad de Navarra, 2013.

[10] "If any men have strong feelings, they should pay for them; if they think it a duty to unsettle things established, they should show their earnestness by being willing to suffer". J. H. Newman, "Private Judgment", en *Essays Critical and Historical*, II, Londres, Longmans, Green, and Co., 1907, p. 338.

sonal, no es la de juzgar las acciones, sino la de poner de manifiesto la falta de plenitud que uno puede encontrar en el propio desarrollo vital. De tal suerte que, cuando la conciencia acusa y recuerda, por ejemplo, sobre el deber incumplido, lo hace con objeto de mostrar insatisfacción interior. En esto último se fundamenta para Newman el personal sentido de la culpa.[11]

Tiene este autor, por un lado, una visión de la acción de la conciencia aristotélico-tomista, es decir, como *phronesis*, como juicio práctico. Aunque, al mismo tiempo, también es para él *anamnesis*, esto es, capacidad de recordar el bien que esencialmente la estructura y constituye. Como reconoce Ratzinger,[12] Newman toma esta idea del planteamiento platónico. Es por eso una visión de la conciencia ontologista, aunque compatible con un planteamiento práctico, que no pragmatista, y vital de la misma.

En este sentido, al igual que sucede en san Agustín, la conciencia no es sólo capaz de juicios morales, también es esencialmente religiosa. El ser humano no solamente tiene la posibilidad de conocer por su propio medio el bien moral para vivir la vida, sino que puede conocer a Aquel que existe en su conciencia. Se siente empujado, sea consciente o no de ello, a la búsqueda constante del Creador en su interior[13] para así poder entrar en diálogo con él.

El pensador británico distingue dos ámbitos[14] en relación con la estructura de la conciencia: el sentido moral (*moral sense*), y el sentido del deber (*sense of duty*). El primero trata sobre lo que cada ser humano ha llegado a entender acerca del bien moral y el segundo sobre lo que se siente obligado a realizar en relación con el mismo. El sentido

---

[11]   "If here is any truth brought home to us by conscience, it is this, that we are personally responsible for what we do, that we have no means of shifting our responsibility, and that dereliction of duty involves punishment". J. H. Neuwman, *An Essay in Aid of a Grammar of Assent*, Londres, Longmans, Green, and Co., 1903, p. 394.

[12]   Cfr. J. Ratzinger, *El elogio de la conciencia*, Madrid, Palabra, 2010, pp. 26-31.

[13]   Cfr. J. Morales, "Una visión cristiana de la conciencia", *Persona y derecho* 5(1978): 537-589.

[14]   Cfr., J. H. Newman, "An Essay in Aid of a Grammar of Assent", pp. 105-113.

moral para Newman es más noble y sensible, por lo que se puede corromper más que el segundo, convirtiendo, por ejemplo, la moralidad en simple decoro. Por otra parte, el sentido del deber se constituye en la persona desde temprana edad, es estructuralmente más rígido y por ello difícilmente cambia a lo largo de la vida.

El sentido moral produce en la persona ciertos movimientos afectivos. Este aspecto de la conciencia no lo confunde Newman con una visión sentimental de la misma. Por el contrario, la falta de articulación del sentido moral tiene muchas veces que ver con la reducción de la vida de la conciencia a gustos o sentimientos. Para Newman este gusto moral, por así llamarlo, expresa sentimientos morales que la conciencia experimenta en relación con el uso ordinario de la libertad y al descubrimiento de una verdad dinámica, de Dios, en su subjetividad personal.[15]

Desde el punto de vista educativo, derivado de lo anterior se puede concluir que hoy es importante, especialmente en la formación del alumno universitario, hacer comprender el problema de fondo que encierra el sentimentalismo ético, ya que eso no solamente salvará del error a los universitarios, sino que también les servirá para ubicarse en el umbral de una mayor conciencia de la realidad divina.[16]

Como señala Terlinden,[17] para Newman el sentido moral solamente crece y se perfecciona en la medida en que la persona obedece voluntariamente a su conciencia. En Newman,[18] toda conciencia que actúa con rectitud, sea consciente o no del todo, lo hace de acuerdo con la luz que recibe de Dios. Por eso se puede entender que para el

---

[15] Cfr. J. Morales, "'La experiencia religiosa' (la contribución de John Henry Newman)", *Scripta Theologica* 27(1995): 69-91.

[16] Cfr. A. McIntyre, *God, Philosophy, Universities*, Lanham, Rowman & Littlefield Publishers (trad. cast. *Dios, filosofía, universidades*, Trad. de Enrique Anrubia y Sebastián Montiel, Granada, Nuevo Inicio, 2009, p. 149.

[17] Cfr. L. Terlinden, "The Originality of Newman's Teaching on Conscience", *Irish Theological Quaterly* 73(2008): 296.

[18] Cfr. J. H. Newman, "The Testimony of Conscience", *Parochial and Plain Sermons*, V, Londres, Longmans, Green, and Co., 1907, p. 252.

pensador inglés la conciencia recta incoa la fe.[19] Además, como sostiene Morales,[20] Newman considera que la obediencia a la conciencia supone en cierto modo el inicio, aunque de forma seminal, del seguimiento y la obediencia al Evangelio. Para él la religión cristiana es la única que responde a la verdad plena del hombre. La conciencia está hecha para tender al conocimiento de Cristo y aceptarlo plenamente. Escuchar la voz de la conciencia supone siempre estar en tránsito hacia la búsqueda de la verdad y hacia el encuentro de la Revelación cristiana.[21]

El pensador anglosajón atribuye a la doctrina calvinista el error de situar la voz de Dios en la vida del hombre siempre en relación con lo lejano e inaccesible, despreciando su influencia en lo cercano y cotidiano.[22] Realiza frecuentemente en sus obras una férrea crítica a este modo de pensar que provoca conciencias rígidas y atormentadas.

Todo lo dicho se puede interpretar, valiéndonos del planteamiento de Newman, en el sentido de que tal rigidez de la que se habló antes procede de que la persona se ha centrado únicamente en el sentido del deber, en las normas, y no ha penetrado en el sentido profundo de las mismas. Es entonces como si la conciencia se partiera en dos y el sentido moral y el deber quedarán divididos. Aquí la conciencia comprendería, por un lado, lo que Dios quiere, como una voz externa, magisterial e imperativa, por otro, lo que ella quiere y puede hacer en su vida cotidiana como una voz individual. Hay que añadir que, desde un punto de vista filosófico, tal división es la que con el tiempo dio paso al planteamiento de la modernidad, en la cual el individuo tratará de suprimir una de las voces, la de Dios, y se quedará sólo con la propia subjetividad como el principio rector de su vida.

De tal manera que, siguiendo e interpretando las ideas de Newman en ambos aspectos, sentido moral y sentido del deber tienen que

---

[19] Cfr. J. Morales, "Una visión cristiana de la conciencia", p. 562. *Ibid.*, p. 556.
[20] *Ibid.*, 556.
[21] Cfr. L. Terlinden, "The Originality of Newman's Teaching on Conscience", p. 299.
[22] J. H. Newman, *Fifteen Sermons Preached Before the University of Oxford*, Londres, Longmans, Green, and Co., 1909, pp. 148-149.

actuar armónicamente en la vida de cada ser humano. La armonía entre ellos es reflejo de madurez personal. Cuando una de ambas dimensiones tiene mucho peso y la otra poco, se da una disonancia interior en la persona. La disonancia leve es normal, y el objeto de la dirección espiritual de la conciencia consiste en ayudar a ir reduciéndola poco a poco con el paso del tiempo. Sin embargo, cuando la disonancia es alta, casi siempre es reflejo de patologías psiquiátricas que exceden el campo de la formación espiritual o de la educación. Por ejemplo, la que se da a veces en personalidades altamente inmaduras, con escaso sentido del deber, o en personalidades fanatizadas, con un nulo sentido moral en sus reflexiones personales.

Ahora bien, desde el punto de vista psicológico la rigidez moral, de la que se habló antes, se puede manifestar también en que la persona desarrolla una visión empobrecida de sí misma. Considera que la regla a seguir sobrepasa en mucho sus fuerzas, no por el bien y la grandeza que encierra, que no es comprendida, sino por la insalvable distancia que advierte la persona entre los propios actos y el bien, la verdad y la belleza moral. De tal actitud nace a veces en el individuo una visión agónica del deber. Además, una vez que el yo queda atrapado en esta dinámica de permanente exigencia-tensión-frustración, la persona se presenta al mismo tiempo ante los demás con un rigor desproporcionado y una gran incomprensión hacia ellos, en ocasiones agresiva ante las debilidades y dificultades que los otros experimentan en la lucha y el seguimiento de su propia conciencia.

3. Formar el corazón: conciencia explícita y conciencia implícita

En las dos novelas que Newman escribió se puede comprobar cómo la conciencia humana se entiende a sí misma y se expresa de modos distintos. En ambas obras también se aprecia el gran valor que Newman otorga a que la conciencia sea siempre fiel a sí misma. Por un lado encontramos el ejemplo de la conciencia implícita en el proceso de conversión de Callista, personaje central de la novela (1901).[23] La protagonista, mártir cristiana griega del siglo tercero, después de haber actuado toda su vida siendo pagana con una convicción firme de conciencia, da el paso a la conversión al cristianismo al ser obligada a realizar un acto público en contra de esta fe ajena hasta entonces a ella. Callista ya había avanzado interiormente en este proceso. Aunque sus movimientos no fueran totalmente explícitos para los demás, interiormente se había acercado al umbral del cristianismo. Sin embargo, es diferente la situación de la autobiográfica novela *Loss and Gain: The Story of a Convert* (1906).[24] El protagonista de esta pieza es el joven anglicano Charles Reading, en quien el autor infundió gran parte de la propia intensidad de su personalidad, sumergida desde muy joven en reflexiones, razonamientos y vivencias que, paso a paso, le llevaron a la decisión de convertirse al catolicismo. Muchas de sus dudas e inquietudes habían sido explicitadas en diferentes circunstancias. En ambas novelas, ya sea como una velada conciencia implícita o como un acto de conciencia explícita, hay un lento madurar del que la persona es más o menos consciente. Un brote interior, en donde la influencia de los demás, la necesaria apertura de horizontes, la búsqueda sincera del bien, el sentido del deber y la gracia de Dios van acercando a una determinación libre de conciencia.

Por todo ello se puede afirmar que para Newman el devenir del perfeccionamiento de la conciencia y la captación y entendimiento explícito de la Revelación no deben considerarse simultáneamente siempre. Comprende el autor que Dios habla por medio de la experiencia individual a la conciencia del ser humano de todo tiempo y lugar. Lo hace no tanto a la razón sino al fondo del corazón,[25] aunque el hombre

---

[23] J. H. Newman, *Callista. A Tale of the Third Century*, Londres, Longmans, Green, and Co., 1901.

[24] J. H. Newman, *Loss and Gain: The Story of a Convert*, Londres, Longmans, Green, and Co., 1906.

[25] Cfr. J. H. Newman, "Private Judgment", pp. 346-350.

tarde mucho o no pueda explícitamente reconocer esa voz. Así, New-man primero relaciona la conciencia con la religión natural y posterior-mente lo hará, sin solución de continuidad, con la Revelación, la cual llevará a una elevación y perfeccionamiento sobrenatural, al estado de gracia. Para Morales en Newman la "Revelación no deriva de la expe-riencia del cristiano, sino que es esta experiencia individual la que se origina y es constituida en el último término a partir de una Revela-ción constituyente".[26]

Como se dijo antes, el teólogo inglés tuvo que pasar muchos trabajos y penalidades de toda índole, varias conversiones e incom-prensiones de toda suerte hasta arribar finalmente a la fe católica. Se comprende de esta manera que en la filosofía newmaniana la concien-cia deba realizar sus actos teniendo en cuenta las circunstancias que le rodean, aunque no sólo a partir de éstas. Se halla, por así decirlo, circunstanciada, pero no es circunstancial. Así, aunque la persona sea consciente de la atracción que siente por las personas, las costumbres, las cosas, las ilusiones, afinidades y gustos propios o ajenos, no puede dejar que tales cosas condicionen las propias decisiones que debe to-mar, como ocurrió en el proceso de conversión del propio Newman.[27]

Las transformaciones de la conciencia del propio Newman siem-pre siguieron una línea ascendente de crecimiento y nunca se dio una ruptura radial, traumática o revolucionaria en este proceso.[28] De ahí se comprende que para él la voz de la conciencia no deba identificarse con la existencia de razonamientos claros y distintos, como las ideas que aparecen como criterio de conciencia según Descartes en el *cogito*, los cuales servirán luego para afirmar la existencia de un ser divino. Así, la función del formador no puede ser forzar una nitidez interior en algún campo cuando esta no se da todavía. Por el contrario, algu-nas veces su papel será sólo el de acompañar, animar y comprender la

---

[26]   J. Morales, "'La experiencia religiosa' (la contribución de John Henry Newman)", p. 90.
[27]   Cfr. J. H. Newman, *Apologia pro Vita Sua*, Londres, Longmans, Green, and Co., 1908, pp. 147-194.
[28]   Cfr. O. Chadwick, *Newman*, Nueva York, Oxford University Press 1983, p. 5.

falta de claridad en la que -con culpa o sin ella- pueda encontrarse aquel a quien se está ayudando.

Conforme la óptica de la antropología filosófica de Newman, el ser humano está hecho para alcanzar la fe, incluso cuando no entiende plenamente y no tiene todas las pruebas y certezas racionales en sus manos.[29] De aquí la importancia de fomentar la confianza entre la persona que forma y la que es formada. Antropológicamente, gracias a la incondicionalidad que se logra confiando en otra persona, como también ocurre con la fe como virtud teologal, se pueden asumir como propios los consejos cuya relevancia todavía no se abarca intelectualmente, cuando todavía la claridad racional no es plena.[30]

La función magisterial del que ayuda es conseguir que la persona descubra la grandeza que conlleva la posibilidad del uso responsable de la libertad. También la humildad y el agradecimiento a Dios, lo cual debe suponer descubra ese don.[31]

Por lo expuesto, y siendo la conciencia, en la filosofía de Newman, el órgano que facilita la búsqueda de la felicidad en los humanos, por medio de los actos libres, podemos concluir que la formación de la conciencia se dirigirá primordialmente a la formación del corazón humano. Un corazón al que, según Newman, sólo se habla con eficiencia formativa desde otro corazón. La elección del lema de su escudo cardenalicio, *Cor ad cor loquitur*, el corazón habla al corazón, resume su vida y vocación como formador de almas y como profesor universitario.

---

[29] Cfr. A. Nichols, "John Henry Newman and the Illative Sense: A Re-Consideration", *Scottish Journal of Theology* 38-2(1985): 347-368.

[30] Cfr. S. Harris, "Seeing Connections: Reason, Faith, and Education", *Journal of Beliefs & Values* 36-3(2015): 268.

[31] "Far be it from any one to rehearse triumphantly, and in the way of controversy, these declarations of our privilege as moral agents; rather, so fearful and burdensome is this almost divine attribute of our nature, that, when we consider it attentively, it requires a strong faith in the wisdom and love of our Maker, not to start sinfully from His gift." J. H. Newman, *Fifteen Sermons Preached Before the University of Oxford*, pp. 139-140.

Se puede concluir, por tanto, que es muy importante conocer a la persona a la hora de formar la conciencia. No solamente lo que ésta expresa ahora –gustos, puntos de vista, reacciones, motivaciones propias–, sino también la educación que ha recibido, la cultura de la que procede y sus creencias, humanas y sobrenaturales, acerca de las cosas. En este conocimiento hay que destacar el saber sobre el nivel de autoconocimiento de la conciencia que cada quien tiene de sí mismo. Para Newman tal saber es extraño[32] en la mayoría de la gente. De tal modo que una persona madura conoce su conciencia mejor que otra que no lo es. Desafortunadamente nos encontramos con una sociedad que no facilita esta sabiduría profunda hacia la propia interioridad explicada por Newman. En el mundo educativo, el psicologismo es uno de los grandes problemas para alcanzar tal verdadero autoconocimiento. Hay quien cree equivocadamente que cualquier individuo es capaz de expresar con total acierto un juicio preciso sobre sí, o de plasmar fácilmente una idea completa de su persona por medio de un *test* proyectivo o mediante un instrumento semejante. Al respecto hay que objetar que la reflexión psicológica sobre la propia psicología no es el autoconocimiento del que aquí se habla.

Se puede añadir que hoy, en muchos casos las conciencias se deforman no tanto por falta de interés en la búsqueda del bien sino por algo más sencillo y práctico, como es el atolondramiento y las constantes distracciones que nos ofrece la sociedad de consumo, que llevan a la real o ficticia sensación de falta de tiempo para pensar. La imaginación excesiva, la dispersión, el huir de las propias circunstancias en que se debe situar el acto propio de la conciencia, junto a las abstracciones y generalizaciones, son casi siempre obstáculos para esta maduración.[33] De ahí la necesidad de hacer reflexionar en un

---

[32] "When I say this is strange, I do not mean to imply that to know ourselves is easy; it is very difficult to know ourselves even in part, and so far ignorance of ourselves is not a strange thing." J. H. Newman, "Secrets Faults", *Parochial and Plain Sermons* I, Londres, Longmans, Green, and Co., 1834, p. 41.
[33] Cfr. J. H. Newman, *Fifteen Sermons Preached Before the University of Oxford*, p. 141.

contexto adecuado. No se trata solamente de explicar a la persona las futuras consecuencias de sus acciones de manera racional, sino también de invitarla a que se tome un tiempo sin ruidos ni distracciones, como hizo el propio Newman en Littlemore[34] durante algunos años para discernir sobre su conversión. En definitiva, hallar un espacio para meditar con calma y valentía sobre los porqués que alumbran los propios comportamientos y sobre las posibles consecuencias de estos en un futuro realista.

Resumiendo lo dicho, la formación de la conciencia en Newman no consiste en un moldeamiento desde fuera sino en ayudar a cada uno a recordar lo que en el fondo ya sabe: es un proceso de *anamnesis*.[35] No se trata tampoco de convertir a nadie en un consumado moralista. El conocimiento científico de la moral es válido para aquellos que se dedican a la investigación en la ciencia moral o en la ética, pero no es necesario para lograr una conciencia completamente formada. Para Newman todas las personas pueden desarrollar una gran sabiduría práctica[36] por medio de las propias experiencias morales y la reflexión sobre las deliberaciones, los juicios y decisiones sobre lo vivido.

4. El sentido ilativo y la formación de la conciencia para la felicidad personal

Antropológicamente Newman entiende que la conciencia es lo más profundo de la intimidad del ser humano; y está más cerca de la vida personal que cualquier otra forma de conocimiento, tiene una gran relación con la memoria e identidad[37] e incide en la imaginación y

---

[34] P. Nockles, "The Making of a Convert: John Henry Newman's Oriel and Littlemore Experience", *British Catholic History* 30-3(2011): 461-483.

[35] J. Ratzinger, *El elogio de la conciencia*, p. 30.

[36] Cfr. A. Rodríguez Luño, "La conciencia del penitente", *Scripta Theologica* 50(2018): 9-21.

[37] "Conscience is a personal guide, and I use it because I must use myself; I am as little able to think by any mind but my own as to breathe with another's lungs.

la fantasía. Su poderosa voz aparece en la infancia, antes incluso de que la racionalidad se haya desarrollado, como una intuición hacia la verdad moral, la pureza y la benevolencia impresa en la naturaleza humana.[38] Además, opera siempre con directa inmediatez, por lo que su desarrollo no va estrictamente en paralelo a la racionalidad, como sostienen Piaget y Kohlberg.

Por eso el denominado sentido moral en Newman mencionado antes, se articula y desarrolla por medio de la sensibilidad moral, un *feeling of conscience*, que se traduce en el advenimiento de emociones internas.[39] Su estructura no consiste en la aparición de sentimientos, entendidos éstos como movimientos de la afectividad física. Newman siempre fue contrario al "emocionalismo religioso"[40] –tan compatible por otra parte con el racionalismo–. Para él tales emociones son los efectos directos de la moral; la resonancia, podemos decir, sobre la interioridad personal, antes o después de que el individuo haya actuado de una determinada forma, la cual deja una sensación clara y también objetiva, aunque captada subjetivamente, frente a la acción moral. Así, Newman contradice o matiza con estas ideas el empirismo de Hume y también el esteticismo ético del conde de Shaftesfbury.[41]

De lo dicho se comprende que para Newman formar la conciencia también consista en hacer pensar de un modo particular. En sus ideas sobre la universidad aparece con marcado énfasis el deseo de formar la inteligencia y aprender a reflexionar con rigor. Lo denomi-

---

Conscience is nearer to me than any other means of knowledge." J. H. Newman, *An Essay in Aid of a Grammar of Assent*, pp. 389-390.

[38] "As nature has impressed upon our mind a faculty of recognizing certain moral truths, when they are presented to us from without, so that we are quite sure that veracity, for instance, benevolence, and purity, are right and good." J. H. Newman, *Certain Difficulties Felt by Anglicans in Catholic Teaching*, I, Londres, Longmans, Green, and Co., 1901, pp. 270-271.

[39] Cfr. T. Merrigan, "Conscience and Selfhood: Thomas More, John Henry Newman, and the Crisis of the Postmoderrn Subject", *Theological Studies* 73(2012): 850.

[40] J. Morales, "La experiencia religiosa" (la contribución de John Henry Newman), 72.

[41] Cfr. S. A. Grave, *Conscience in Newman's Thought*, Nueva York, Oxford University Press, 1989, p. 33.

na la "expansión de la mente", acción que descansa en el valor que tiene la adquisición del conocimiento por sí mismo.[42]

Esta idea de Newman se fundamenta en una antropología no racionalista frente a la que da una valoración del papel de la conciencia en la vida intelectual.[43] Considera que en la mente humana existe lo que él denomina *sentido ilativo*, que puede crecer y perfeccionarse a lo largo de la vida. Es una habilidad, un sentido interno, connatural a todo ser humano,[44] que consiste en la capacidad para relacionar y apreciar la verdad de las realidades que le rodean. Esto le servirá a la conciencia como un faro interior para responder a la pregunta sobre lo que se debe hacer aquí y ahora.[45]

El *sentido ilativo* es un poder para juzgar acerca de la verdad y el error, y tiene como finalidad ofrecer claridad mental, por eso contribuye siempre a que la persona sea responsable frente a sí misma en toda circunstancia.[46]

Gracias al *sentido ilativo* la persona puede llegar a realizar lo que Newman denomina un *asentimiento real*,[47] que conlleva una afirmación sólida y personalmente comprometida con aquello que se ha conocido, y se produce en contraste con el llamado asentimiento nocional, asociado a la lógica, en el que la persona únicamente reconoce conceptualmente lo aprendido. Además, en el asentimiento real, cuando se ha realizado antes de un profundo examen personal o reflexión, desaparecen los prejuicios y la persona tiene los conocimientos como permanentes[48] y definitivos.

---

[42] Cfr. J. H. Newman, *The Idea of a University*, Londres, Longmans, Green, and Co., 1907, pp. 99-123.

[43] E., Sillem, *The Philosophical Book of John Henry Newman*, p. 63.

[44] Cfr. S. Sánchez Leyva, "El 'illative sense' en la instancia veritativa según John Henry Newman", *Theologica Xaveriana* 63-176 (2013) 496.

[45] Cfr. W. Conn, "Newman on Conscience", *Newman Studies Journal* 6-2(2009): 22.

[46] Cfr. J. H. Newman, *An Essay in Aid of a Grammar of Assent*, p. 353.

[47] Cfr. *Ibid.*, pp. 75-96.

[48] Cfr., S. Sánchez-Migallón, "El carácter personal y existencial del conocimiento en John Henry Newman", *Quién* 8(2018): 79.

Hay que añadir que el *sentido ilativo* no es la voz de la conciencia como tal, sino más bien una herramienta de gran valor para una mente constitutivamente abierta al misterio de lo real, y el éxito de su uso dependerá de lo que se haga de él. Cuando se aplica adecuadamente a una realidad moral facilita el acto de conciencia que hace libre y feliz a la persona. Tiene que ver también con el *common sense*, sentido común, tan venerado por los ingleses, que permite realizar juicios prácticos claros, sencillos y concretos en relación con la verdad sobre las cosas grandes o pequeñas que ocurren en la vida.[49]

En la filosofía de Newman todas las personas tienen la obligación de culminar su vida por sí mismas; esa es la función que tiene el *sentido ilativo* en la mente. La conciencia, cuando está formada, se vale de él, ya que le ofrece luces para ir desarrollando la personalidad, según el estilo y las circunstancias propias.

De ahí que también para Newman formar la conciencia consista en enseñar a discernir, ya que el discernimiento es un acto exclusivamente personal. El acto de conciencia para este autor, al igual que en Aristóteles cuando habla de las virtudes, tiene que estar guiado por la *phronesis*, la prudencia, que entre otras funciones tiene la de ordenar los medios al fin en cada acción moral. La prudencia en las decisiones se desarrolla por la experiencia y el ejercicio y cuando se perfecciona acerca al hombre a la sabiduría. Sin embargo, para Newman, frente al estagirita, la prudencia no es una virtud que abarque todas las dimensiones de la vida humana. Según Newman se puede ser prudente en alguna situación y en otras no, por lo que para él existirán tantos actos prudenciales como situaciones libres. La conciencia en el pensador inglés no funciona siempre seguida de racionalidad lógica o matemática. Va dirigiendo al individuo hacia una determinación personal y en muchos casos se

---

[49] Cfr. B. Trocholepceczy, "Newman concept of 'Realizing'", en varios autores, *By Whose Authority? Newman, Manning and the Magisterium*, Alan McClelland, Downside Abbey, Hobbs the Printer, 1996, p. 143.

enfrenta a evidencias parciales, probabilidades, testimonios e intuiciones. Gracias al uso del *sentido ilativo* se puede realizar un acto de adhesión moral, de *asentimiento real*, como se decía antes, cuya fuerza puede ser igual o mayor que cualquier certeza y evidencia física.[50]

La principal finalidad de la existencia de la conciencia para Newman no es que la persona pueda elegir entre el bien o el mal –ésta sería, por así decirlo, su función operativa–, sino que gracias a ella llegue a alcanzar la plena felicidad. De ahí que la conciencia pueda interpretarse en el pensamiento de Newman como un órgano vocacional, ya que su cometido más propio consiste en ayudar a cada hombre a cumplir con una llamada específica y personal a la felicidad, la cual es la culminación a la que implícitamente aspira todo acto de libertad desde su origen.

Por todo lo dicho se puede concluir, a la luz del pensamiento de Newman, que la función de la norma moral es el desarrollo de virtudes humanas y sobrenaturales en las personas. También se puede afirmar que cuando las normas no contribuyen al desarrollo personal, por los motivos que sean, la conciencia se deforma y produce un tipo de personalidad formalista y poco profunda. Por ello, podemos afirmar que la norma moral no debe entenderse nunca como un fin, sino un medio para alcanzar la felicidad. De ahí que el planteamiento en la enseñanza de las normas de conducta no deba entenderse como un límite a la propia libertad de conciencia sino como una posibilidad, incluso una necesidad, para el pleno desarrollo de ésta. Plantear la formación de la conciencia como la enseñanza de una serie de prohibiciones perjudica y predispone negativamente la interioridad de la persona frente al bien moral. Conlleva, además, la visión maniquea de otorgar al mal moral una entidad propia y no verlo también en el interior de la conciencia, siguiendo a san Agustín, como la ausencia del bien que la persona podría alcanzar. Por último, en tal supuesto se podría injustamente dividir a los sujetos entre buenos y malos: aquellos que se encuentran definitivamente situados del lado de la verdad y los demás.

---

[50] Cfr. A. Nichols, "John Henry Newman and the Illative Sense: A Re-Consideration", pp. 347-368.

5. La formación de la conciencia ciudadana y el valor del testimonio

Dadas las circunstancias en las que vivimos en la sociedad del siglo XXI, donde existe una urgente necesidad de formar hombres humanamente maduros y psicológica y socialmente estables,[51] la formación de la conciencia que proporciona la Iglesia, tanto pastoral como educativa en general, se ha convertido en un gran servicio por su impacto en el desarrollo del sentido crítico de algunos ciudadanos. En relación con esto, como afirma Morales, en la filosofía educativa de Newman se puede interpretar que "es el cristianismo lo que debe ser colocado en la raíz de toda educación verdadera. Si al educar comenzamos con la naturaleza antes que la gracia, con evidencias antes que la fe, con ciencia antes que la conciencia, estamos en el camino de ceder ante los apetitos y las pasiones y cerrar los oídos a la razón".[52]

En su famoso documento *Letter to the Duke of Norfolk* Newman trata de demostrar cómo la conciencia, la autoridad papal y la obediencia al Estado son compatibles. Solamente algún autor como Decosse,[53] desde una falta de profundización en el sentido de estos términos en el pensamiento de Newman, plantea una aparente contraposición entre la visión eclesial y la personalista de la conciencia. No obstante, como afirma Norris,[54] para Newman la conciencia humana está naturalmente predispuesta a escuchar la luz de la Revelación, por tanto, la fe cristiana, la obediencia y la conciencia personal,

---

[51] Cfr. G. Jover, V. González y M. Prieto, *Una filosofía de la educación del siglo XXI*, Madrid, Síntesis, 2017, pp. 133-139.

[52] Cfr. J. Morales, *Newman (1801-1890)*, pp. 114-115.

[53] Cfr. D. E. Decosse, "Conscience, Catholicism, and Politics", *Theological Studies* 78-1(2017): 171-192.

[54] T. J. Norris, "The Role of Conscience in the Adventure of Holiness according to Blessed John Henry Newman", en E. J. Miller (ed.), *Conscience the Path to Holiness: Walking with Newman*, Newcastle upon Tyne, Cambridge Scholar Publishing, 2014, pp. 15-30.

no sólo no se oponen, sino que en su raíz antropológica más profunda están llamadas a complementarse, como comenta Madden.[55]

Newman explica la autoridad del papado no en términos de poder político ni de fuerza impositiva, sino como *auctoritas*. Es decir, como un poder moral, al igual que sucede con el prestigio, que se dirige al fondo de la conciencia personal.[56] Interpretando el pensamiento de Newman, "la autoridad significa para la conciencia del hombre lo mismo que la Revelación es para la naturaleza humana. Viene a considerarla y a procurarle plenitud. No la elimina ni la sustituye ni la ignora".[57] De tal modo que para el pensador inglés no cabe una oposición real en la conciencia entre ambos ámbitos, porque siguiendo sus ideas en lo civil como en lo moral, nadie puede solicitar al ser humano el pleno sometimiento.[58] Así, cuando con su famosa frase dice que primero brindaría por la conciencia y luego por el Papa, no establece ninguna posible contraposición entre ambos poderes, sino una secuencia natural en el desarrollo de la vida y en el crecimiento de la conciencia. El Estado, la autoridad civil, tiene también su legitimidad en relación con la conciencia. La persona debe obedecer las leyes y los reglamentos que de él proceden, ya que, como afirma Laun: "La conciencia no se pierde por obedecer a una autoridad legitimada ante ella misma".[59]

En Newman, también en relación con la sociedad, la conciencia no puede alcanzar la libertad cuando actúa en contra de la verdad, ya que ello deforma su propia estructura esencial. De ahí que el re-

---

[55] Cfr. N. Madden, "Newman: Conscience, the Matrix of Spirituality", *Irish Theological Quarterly* 67(2002): 149.
[56] Cfr. J. H. Newman, "A Letter Addressed to the Duke of Norfolk on Occasion of Mr. Gladstone's Recent Expostulation", en *Certain Difficulties Felt by Anglicans in Catholic Teaching*, II, Londres, Longmans, Green, and Co., 1900.
[57] J. Morales, J., *Newman (1801-1890)*, p. 315. Cfr. C. Hansen, "Newman, Conscience and Authority", *New Blackfriars* 92-1038(2011): 209-223.
[58] Cfr. C. Hansen, "Newman, Conscience and Authority", *New Blackfriars* 92-1038 (2011): 209-223.
[59] A. Laun, *La conciencia. Norma suprema subjetiva de la autoridad moral*, Barcelona, EUNSA, 1993, p. 101.

lativismo –al que Newman se enfrentó en una de sus formas más conocidas, como es el liberalismo religioso[60]– sea tan destructivo para la conciencia de cada individuo y para la sociedad en su conjunto. No sólo porque niega al hombre la posibilidad de alcanzar la verdad, sino porque al hacerlo –como sucede en nuestros días con la llamada por Ratzinger "dictadura del relativismo"– también imposibilita a la persona la armonía esencial que debe existir entre la conciencia, la verdad y el bien común en la sociedad.

Por lo dicho, se puede pensar que la función de los formadores de la conciencia consistirá también en enseñar a diferenciar ambos mundos, el religioso y el civil, para que cada ciudadano desarrolle responsabilidad, y que así se produzca un modo de vida coherente con la moral, siendo por ello también armónico socialmente. Desde el plano de la educación de ciudadanos hay que conseguir que cada uno aprenda a obedecer a la autoridad legítima y también que desarrolle un pensamiento crítico y activo hacia ella. La pasividad y el individualismo son hoy el cáncer del florecimiento del bien común, de ahí la necesidad de lograr la armonía entre la conciencia personal y la ley civil. Ambas son fundamentales para el desarrollo de la libertad personal en la vida social.[61] Así, desde una óptica newmaniana, el objetivo consistiría en que la persona realice también en su vida social un juicio privado, personal, no formado arbitrariamente y según las fantasías o el gusto, sino cimentado en la conciencia con la guía del sentido del deber.[62]

---

[60] "Liberalism in religion is the doctrine that there is no positive truth in religion, but that one creed is as good as another, and this is the teaching which is gaining substance and force daily. It is inconsistent with any recognition of any religion, as true. It teaches that all are to be tolerated, for all are matters of opinion. Revealed religion is not a truth, but a sentiment and a taste; not an objective fact, not miraculous; and it is the right of each individual to make it say just what strikes his fancy". J. H. Newman, "Biglietto Speech", en *Addresses to Cardinal Newman with his Replies* (1879-1881), Londres, Longmans, Green, and Co., 1905, p. 64.

[61] Cfr. Y. Simon, *Una teoría general de la autoridad*, Madrid, Caparrós, 2008. T. Merrigan, "Conscience and Selfhood: Thomas More, John Henry Newman, and the Crisis of the Postmodern Subject", p. 866.

[62] "Private Judgment, not formed arbitrarily and according to one's fancy or liking, but conscientiously, and under a sense of duty". J. H. Newman, *Apologia pro Vita Sua*, 21.

Newman también reconoce el peso de la influencia personal en la sociedad y la consiguiente importancia de la existencia de personas de gran calidad moral. La voz de Dios en la conciencia, según advierte Newman en varios momentos, está muchas veces mediada por los demás, no actúa casi nunca directamente como una voz humana, sino más bien se escucha como un eco provocado por los otros.[63] Socialmente hablando, la verdad no se enseña sólo por razonamientos, sino que, al igual que la fe,[64] penetra muy a menudo por medio del testimonio de algunos pocos. Este es el principio sobre el que se plasma en la sociedad todo el personalismo teológico de Newman, el cual servirá también para fundamentar un personalismo educativo basado en sus ideas.[65]

Conclusiones

La propuesta de san John Henry Newman en relación con la formación de la conciencia es, tal vez, el planteamiento intelectual cristiano más serio de un autor posterior a la Ilustración para poner en relación armónica las modernas demandas de la subjetividad personal con la ley moral, y con la autoridad de la Iglesia católica y con la autoridad del Estado. Antes de este teólogo, como después para algunos autores, estos aspectos eran totalmente incompatibles.

---

[63] Cfr. T. Merrigan, "Conscience and Selfhood: Thomas More, John Henry Newman, and the Crisis of the Postmodern Subject", p. 866.

[64] "Till then, surely the general opinion of all men around us, and that from the first –the belief of our teachers, friends, and superiors, and of all Christians in all times and places–, that the doctrine of the Holy Trinity must be held in order to salvation, is as good a reason for our believing it ourselves, even without being able to prove it in all its parts from Scripture; I say, this general reception of it by others, is as good a reason for accepting it". J. H. Newman, "Faith Without Demonstration", en *Parochial and Plain Sermons*, vol. VI, Londres, Longmans, Green, and Co., 1907, p. 332.

[65] D. Luque, *La influencia de John Henry Newman en la reflexión educativa del último medio siglo* (tesis doctoral), Facultad de Pedagogía, Universidad Complutense, 2016.

Hasta Newman la subjetividad quería decir la autonomía moral absoluta de la conciencia. Consecuentemente, para ciertos intelectuales, la ley moral o era fruto de una decisión creativa de la propia individualidad o no era digna de valoración. En esta perspectiva, el papel formativo de la Iglesia no podía ser otro que el de la aquiescencia o sometimiento a ese sacrosanto espacio llamado *yo*. Como resultado de esta visión, al perder la Iglesia su autoridad fundamental en la formación de la conciencia de los fieles, también perdió su función soteriológica, reduciendo su tarea en este ámbito a algo semejante a una gran ONG de apoyo y mantenimiento psicológico del yo. Es normal que algunos confesores y directores espirituales, influenciados por el individualismo y el relativismo tan extendido en nuestros días, hayan cambiado su tarea de formadores de la conciencia por la de observadores externos, psicólogos y orientadores asépticos, absolutamente neutrales frente a la *psique*, la cual, por sí misma, y siguiendo esta lógica, deberá ir adquiriendo su modo propio al compás de las diferentes fuerzas culturales, sociales y biológicas que operan sobre ella.

Sin embargo, Newman entiende que la voz de la conciencia es la voz de la verdad que "procede de arriba",[66] de Dios, que habla a la intimidad de la persona. Esa voz podrá actuar con más o menos claridad y también ser reconocida de mejor o peor manera por cada uno, cuando se sigue honradamente dirige al ser humano hacia la verdad. La vida de este pensador y las diferentes conversiones que tuvo a lo largo de ella reflejan que casi toda trasformación profunda en el hombre es lenta y que en la misma se mezclan aspectos intelectuales, vivenciales y personales de forma indiscernible. De ahí también que, siguiendo el

---

[66] "It acts as a messenger from above, and says that there is a right and a wrong, and that the right must be followed; but it is variously, and therefore erroneously, trained in the instance of various persons. It mistakes error for truth; and yet we believe that on the whole, and even in those cases where it is ill-instructed, if its voice be diligently obeyed, it will gradually be cleared, simplified, and perfected, so that minds, starting differently will, if honest, in course of time converge to one and the same truth." J. H. Newman, *An Essay of the Development of Christian Doctrine*, Londres, Longmans, Green, and Co., 1909, p. 369.

pensamiento de Newman, no podamos hablar estrictamente de una meta humana última en la formación de la conciencia. Según su dinamismo esencial se encuentra estructurada para una lucha hasta el final de la vida, anhela hasta el final alcanzar la libertad interior.

La obediencia a los mandatos de la conciencia clarifica a quien la realiza y facilita a la mente la nitidez de las enseñanzas recibidas en actuaciones futuras.[67] Esto es así porque para Newman la conciencia es un elemento constitutivo de la mente, como lo es nuestra percepción o nuestro poder de razonar, y el sentido del orden y de lo bello.[68] Por esto se puede concluir que en Newman un acto de conciencia verdadero es aquel que, cuando es maduro y proporcionado, no establece una separación entre el yo y la conciencia como dos instancias distintas con intereses y objetivos que necesariamente deban ser opuestos, sino que los toma y trata de abarcar en una posible armónica unidad,[69] y tiene, como consecuencia tangible del desarrollo personal, la plenitud de la vida por medio de una mayor autoposesión por parte de yo.[70]

Por último, se ha tratado de explicar a lo largo de estas páginas que en Newman la razón es entendida de forma amplia, y no actúa sólo por procedimientos, como considera el racionalismo, sino que sirve para pensar sobre la verdad de los sucesos morales y tratar de entenderlos y organizarlos en todo su sentido en relación con la verdad de la vida.

---

[67] "It is so constituted that, if obeyed, it becomes clearer in its injunctions, and wider in their range, and corrects and completes the accidental feebleness of its initial teachings." J. H. Newman, *An Essay in Aid of a Grammar of Assent*, p. 390.

[68] "A constituent element of the mind, as our perception of other ideas may be, as our powers of reasoning, as our sense of order and the beautiful, and our other intellectual endowments." J. H. Newman, "A Letter Addressed to the Duke of Norfolk on Occasion of Mr. Gladstone's Recent Expostulation", p. 248.

[69] Cfr., F. Mobbs, "Newman's Doctrine of Conscience", *Irish Theological Quaterly* 57-4(1991): 313.

[70] W. Conn, *Conscience and Conversion in Newman. A Developmental Study of Self in John Henry Newman*, Wilwaukee, Marquette University Press, 2010.

Referencias

CHADWICK, O., *Newman*, Nueva York, Oxford University Press, 1983.

COLLINS, P., "Newman, Foundationalism and Teaching Philosophy", *Metaphilosophy* 22-1 y 2(1991): 143-161.

CONN, W., *Conscience and Conversion in Newman. A Developmental Study of Self in John Henry Newman*, Wilwaukee, Marquette University Press, 2010.

——, "Newman on Conscience", *Newman Studies Journal* 6-2(2009): 15-26.

DECOSSE, D. E., "Conscience, Catholicism, and Politics", *Theological Studies* 78-1(2017): 171-192.

GRAVE, S. A., *Conscience in Newman's Thought*, New York, Oxford University Press, 1989.

HANSEN, C., "Newman, Conscience and Authority", *New Blackfriars* 92-1038(2011): 209-223.

HARRIS, S., "Seeing Connections: Reason, Faith, and Education", *Journal of Beliefs & Values* 36-3(2015): 267-275.

JOVER, G., V. González y M. Prieto, *Una filosofía de la educación del siglo XXI*, Madrid, Síntesis, 2017.

LAUN, A., *La conciencia. Norma suprema subjetiva de la autoridad moral*, Barcelona, EUNSA, 1993.

LUQUE, D., *La influencia de John Henry Newman en la reflexión educativa del último medio siglo* (tesis doctoral), Madrid, Facultad de Pedagogía, Universidad Complutense, 2016.

MADDEN, N., "Newman: Conscience, the Matrix of Spirituality", *Irish Theological Quarterly* 67(2002): 145-151.

MCINTYRE, A., *God, Philosophy, Universities*, Lanham: Rowman & Littlefield Publishers (en castellano *Dios, filosofía, universidades*, Trad. de Enrique Anrubia y Sebastián Montiel), Granada, Nuevo Inicio, 2009.

MERRIGAN, T., "Conscience and Selfhood: Thomas More, John Henry Newman, and the Crisis of the Postmodern Subject", *Theological Studies* 73(2012): 841-869.

MOBBS, F., "Newman's Doctrine of Conscience", *Irish Theological Quaterly* 574(1991): 311-316.

MORALES, J., "'La experiencia religiosa' (la contribución de John Henry Newman)", *Scripta Theologica* 27(1995): 69-91.

———, *Newman (1801-1890)*, Madrid, Rialp, 1990.

———, "Una visión cristiana de la conciencia", *Persona y derecho* 5(1978): 537-589.

NEWMAN, J. H., *Addresses to Cardinal Newman with his Replies (1879-1881)*, Londres, Longmans, Green, and Co., 1905.

———, *An Essay in Aid of a Grammar of Assent*, Londres, Longmans, Green, and Co., 1903.

———, *An Essay of the Development of Christian Doctrine*, Londres, Longmans, Green, and Co., 1909.

———, *Apologia pro Vita Sua*, Londres, Longmans, Green, and Co., 1908.

———, *Callista. A Tale of the Third Century*, Londres, Longmans, Green, and Co., 1901.

———, *Certain Difficulties Felt by Anglicans in Catholic Teaching*, I, Londres, Longmans, Green, and Co., 1901.

NEWMAN, J. H., *Certain Difficulties Felt by Anglicans in Catholic Teaching*, II, Londres, Longmans, Green, and Co., 1900.

——, *Essays Critical and Historical* II, Londres, Longmans, Green, and Co., 1907.

——, *Fifteen Sermons Preached Before the University of Oxford*, Londres, Longmans, Green, and Co., 1909.

——, *Loss and Gain: The Story of a Convert*, Londres, Longmans, Green, and Co., 1906.

——, J. H., *Parochial and Plain Sermons* I, Londres, Longmans, Green, and Co., 1834.

——, *Parochial and Plain Sermons* V, Londres, Longmans, Green, and Co., 1907.

——, *Parochial and Plain Sermons* VI, Londres, Longmans, Green, and Co., 1907.

——, *Parochial and Plain Sermons* VIII, Londres, Longmans, Green, and Co., 1908.

——, *The Idea of a University*, Londres, Longmans, Green, and Co., 1907.

——, *Two Essays on Biblical and Ecclesiastical Miracles*, Londres, Longmans, Green, and Co., 1907.

NICHOLS, A., "John Henry Newman and the Illative Sense: A Re-Consideration", *Scottish Journal of Theology* 38-3(1985): 347-368.

NOCKLES, P., "The making of a Convert: John Henry Newman's Oriel and Littlemore experience", *British Catholic History* 30-3(2011): 461-483.

NORRIS, T. J., "The Role of Conscience in the Adventure of Holiness according to Blessed John Henry Newman", en E. J. Miller (ed.), *Conscience the Path to Holiness: Walking with Newman*, Newcastle upon Tyne, Cambridge Scholar Publishing, 2014.

RATZINGER, J., *El elogio de la conciencia*, Madrid, Palabra, 2010.

RODRÍGUEZ LUÑO, A., "La conciencia del penitente", *Scripta Theologica* 50(2018): 9-21.

RUMAYOR, M., *El yo en Xavier Zubiri*, Pamplona, Servicio de Publicaciones de la Universidad de Navarra, 2013.

SÁNCHEZ-MIGALLÓN, S., "El carácter personal y existencial del conocimiento en John Henry Newman", *Quién* 8 (2018): 77-95.

SÁNCHEZ LEYVA, S., "El 'illative sense' en la instancia veritativa según John Henry Newman", *Theologica Xaveriana* 63-176 (2013): 487-506.

SILLEM, E., *The Philosophical Book of John Henry Newman*, Lovaina, Nauwelaeters Publishing House, 1969.

SIMON, Y., *Una teoría general de la autoridad*, Madrid: Caparrós, 2008.

TERLINDEN, L., "The Originality of Newman's Teaching on Conscience", *Irish Theological Quaterly* 73 (2008): 294-306.

TROCHOLEPCECZY, B., "Newman Concept of 'Realizing'", en varios autores, *By Whose Authority? Newman, Manning and the Magisterium*, Alan McClelland, Downside Abbey, Hobbs the Printer, 1996.

San John Henry Newman. Un maestro para nuestro tiempo
se imprimió en la Ciudad de México,
el 21 de febrero de 2022
(221 aniversario de su nacimiento),
en Litográfica Ingramex, S. A. de C. V.
Centeno 162-1, Granjas Esmeralda, Iztapalapa,
C. P. 09810, Ciudad de México, México

CPSIA information can be obtained
at www.ICGtesting.com
Printed in the USA
LVHW041559211222
735605LV00002B/194